LES RÈGLES
DES SAINTS PÈRES

SOURCES CHRÉTIENNES

Fondateurs : H. de Lubac, s.j., et † J. Daniélou, s.j.
Directeur : C. Mondésert, s.j.

N° 298

LES RÈGLES
DES SAINTS PÈRES

TOME II

TROIS RÈGLES DU VIᵉ SIÈCLE
INCORPORANT
DES TEXTES LÉRINIENS

Introduction, texte, traduction et notes
par
Adalbert de VOGÜÉ
Moine de la Pierre-qui-vire

Index et Tables

Cet ouvrage est publié avec le concours
du Centre National des Lettres

LES ÉDITIONS DU CERF, 29 bd de Latour-Maubourg,
PARIS
1982

© *Les Éditions du Cerf, 1982*

ISBN 2-204-01990-9

ISSN 0750-1978

RÈGLE ORIENTALE

INTRODUCTION

CHAPITRE I

Longueur et position dans le « Codex regularum » Occupant près de quatre pages dans l'édition in folio de Brockie, la Règle Orientale dépasse en longueur la Règle des Quatre Pères (trois pages) et tous ses épigones. D'autre part, elle se détache de toutes ces règles par la position qu'elle occupe dans le *Codex* de Benoît d'Aniane, qui en est l'unique témoin. Au lieu d'y être placée, comme ses sœurs, vers le début, entre la Règle bénédictine et les *Pachomiana*, elle vient presque à la fin des règles masculines, entre la *Regula Tarnantensis* et la *Regula cuiusdam Patris*, elle-même suivie de la Règle du Maître.

Les deux sources : Pachôme et la Seconde Règle des Pères De son côté, Holste, tout en l'attribuant à un certain diacre Vigile, la range à la suite des *Pachomiana*, place que lui valent, de toute évidence, ses emprunts massifs à la Règle pachômienne. L'éditeur de Benoît d'Aniane a-t-il remarqué ses rapports avec la Seconde Règle des Pères et les dérivées de celle-ci ? En tout cas, il n'en a pas tenu compte, et Brockie, son successeur, n'en fait aucune mention dans son *Observatio critica.* Le fait est significatif : des deux sources ultimes de l'Orientale, c'est la Règle pachômienne qui l'emporte de beaucoup en importance, au point d'éclipser presque complètement la Seconde Règle des Pères.

Synopse des sources et des parties propres   Cette importance relative des deux ingrédients manifestes de l'Orientale, ainsi que de ses éléments propres, apparaît clairement si l'on dresse un tableau synoptique des trois séries de textes[1] :

TEXTES ORIGINAUX	RÈGLE DE PACHÔME	SECONDE RÈGLE DES PÈRES
1, 1-9 : Abbé		1, 1 : cf. 2RP 3
2, 1-7 : Anciens		1, 4 : cf. 2RP 10
3, 1-5 : Prévôt		3, 3-4 : cf. 2RP 5-6 et 3
	4, 1-2 : *Praec.* 113-114	
	5 : *Praec.* 60	
	6 : *Praec.* 74	
	7 : *Praec.* 81	
	8, 1-2 : *Praec.* 88-89	
	9, 1-2 : *Praec.* 98	
	9, 3 : *Praec.* 106	
	10 : *Praec.* 107	
	11, 1 : *Praec.* 118	
	11, 2 : *Praec.* 132	
	12, 1-2 : *Praec.* 141-142	
	13, 1-4 : *Inst.* 5	

---

1. Nous reproduisons, avec de légères modifications, le tableau de notre article « La *Regula Orientalis.* Texte critique et synopse des sources », dans *Benedictina* 23 (1976), p. 241-272 (voir p. 243-244).

La prépondérance pachômienne, au moins en ce qui
concerne la quantité, est d'autant plus nette que les emprunts
à Pachôme sont de véritables transcriptions, tandis que la
Règle des Pères, comme l'indique le sigle cf. placé devant
presque toutes ses références, n'est reproduite que très
librement. Ce mode d'utilisation de la Seconde Règle rend
impossible une évaluation chiffrée de son apport. Quant à
celui de la Règle pachômienne, on peut l'évaluer à 193 lignes
de Migne, contre 155 lignes de texte influencé par les Pères
ou entièrement propre. Pachôme fournit donc à l'Orientale
plus de la moitié de sa substance (55 %).

Structure de l'ensemble   Notre synopse montre en
outre comment s'ordonnent les
divers éléments de l'Orientale. Sa structure générale est assez
simple : deux blocs de textes pachômiens (ROr 4-22 et
36-47), introduits par deux sections propres (1-3 et 25-29), la
Règle des Pères n'intervenant de façon notable qu'à la fin du
premier bloc pachômien (22-24) et de la seconde section
propre (30-35). En faisant abstraction de deux petites
enclaves, l'une de texte propre parmi les emprunts à Pachôme
(22, 2-5), l'autre de texte pachômien au milieu de la rédaction
originale (27, 1-7), on peut représenter cette structure par le
schéma suivant :

Texte original	Pachôme	2RP	Texte original	2RP	Pachôme

Mais un schéma de ce genre ne prend tout son sens que si
l'on considère au moins sommairement les sujets traités. A
cet égard, le fait capital est celui que nous avons indiqué à
gauche de notre tableau : la série d'officiers claustraux que
passent en revue les textes originaux. Dans sa première section propre, l'Orientale s'occupe des supérieurs, c'est-à-dire
de l'abbé, des deux anciens et du prévôt (1-3). Dans la
seconde, elle traite du cellérier, du portier et des semainiers
(25-28). Cette revue des charges par ordre d'importance
décroissante est conclue par un avis général adressé à tous

ceux qui ont un office (29). Suit une autre exhortation générale, adressée à tous les frères (30-31). Chacune de ces monitions collectives est assortie de sanctions (29, 3-5 ; 32-35).

Telle est manifestement l'épine dorsale de notre petite législation. En deux étapes, l'auteur parcourt de haut en bas toute la hiérarchie du coenobium. C'est à l'intérieur de ce cadre que prennent place les extraits de Pachôme et les réminiscences des Pères. Le premier florilège pachômien est visiblement orienté vers les fonctions du « père » — l'abbé — et du prévôt, mentionnés chacun sept fois[2]. Particulièrement importante est la place faite au *praepositus*, nommé de façon significative dès le début[3] et dépeint dans le plus grand détail au cours d'un interminable directoire[4], qui est de loin le plus long morceau de toute la règle. Ainsi ce premier choix de textes pâchomiens est commandé par les directoires de supérieurs que vient de tracer le texte propre, et surtout par celui du prévôt qui le précède immédiatement.

A son tour, le second florilège pachômien n'est pas sans rapport avec les chapitres sur les offices matériels qui l'ont précédé. Il commence par traiter des repas, sujet connexe au service du cellérier et des hebdomadiers[5]. Ensuite, il règle l'hospitalité et les sorties, qui intéressent le portier[6]. Les

---

2. Les « anciens » (*seniores*) ne le sont qu'une fois (ROr 19 = *Iud.* 8). Dans le second florilège, on trouve une fois seulement le « père » (ROr 42 = *Praec.* 55), deux fois le *praepositus* (ROr 39, 2 et 46 = *Praec.* 40 et *Iud.* 14), jamais les « anciens ». *Maior*, terme imprécis, se rencontre trois fois, au singulier ou au pluriel, dans le premier florilège (ROr 14.19.20 = *Inst.* 9 ; *Iud.* 8 ; *Leg.* 13), et une fois dans le second (ROr 37 = *Praec.* 32). A l'unique *pater monasterii* du second florilège, il faut toutefois joindre l'*abbas* qui est substitué à ce terme dans ROr 41, 1 = *Praec.* 53.

3. ROr 4, 2 = *Praec.* 114, texte hors série, délibérément choisi pour servir de début au florilège.

4. ROr 17 = *Inst.* 18.

5. ROr 36-39. Cf. ROr 25 et 28. Cependant on verra plus loin que 2RP 46 n'est peut-être pas étranger à ce début.

6. ROr 40-42. Cf. ROr 26-27.

derniers articles n'étant souvent que des répétitions d'articles antérieurs[7], on peut dire que la note particulière de ce second florilège pachômien est bien accordée à celle du second trio d'officiers qui l'a introduit.

Analogie globale avec le « Liber Orsiesii » et la Règle du Maître L'Orientale est donc structurée d'un bout à l'autre par une file de directoires d'officiers rangés en ordre descendant. Cette ordonnance fait penser à deux documents, l'un certainement antérieur, l'autre probablement un peu plus tardif. Après les règles de Pachôme, auxquelles l'Orientale emprunte si largement, les *Pachomiana* de Jérôme présentent pour finir une longue catéchèse d'Horsièse, où le troisième supérieur de la Koinonia s'adresse successivement à tous les membres de la hiérarchie cénobitique : supérieurs de monastères (13), seconds de monastères (14), *praepositi* ou chefs de maisons (15-17), seconds de maisons (18), pour terminer par des avis à tous les frères qui remplissent le reste du livre (19-56). Compte tenu du caractère propre de la hiérarchie pachômienne — les officiers énumérés ne correspondent qu'au premier trio de l'Orientale — et de certaines particularités[8], on retrouve ici pour l'essentiel la structure de notre règle.

De son côté, la Règle du Maître procède de la même façon. Après de longues introductions, elle présente l'abbé (2), et plus loin les *praepositi* (11), le cellérier (16), le gardien des outils (17), les semainiers (18), les *uigigalli* ou excitateurs (31), les hôteliers (79), les portiers (95). Si l'organisation du Maître diffère par quelques traits, notamment par le nombre

---

7. Comparer ROr 44, 1 et 8 (silence nocturne) ; 45 et 11, 2 (objets appropriés ou trouvés) ; 46 et 16-17.21 (correction du prévôt) ; 47 et 33 (encouragements donnés à un coupable).

8. HORSIÈSE, *Lib.* 7-10 et 11-12, s'adresse globalement à tous les responsables et à tous les frères de la « plèbe », avant de commencer sa revue des premiers. D'autre part, il reviendra aux *principes monasteriiorum* (40).

accru des charges matérielles, la séquence descendante est bien la même, et elle joue le même rôle essentiel dans la structuration de l'œuvre.

Par la législation du Maître, cette structure s'est transmise, on le sait, à la Règle bénédictine. Entre le *Liber* d'Horsièse et cette dernière, l'Orientale est un jalon, peut-être même un relais, dans l'histoire des documents cénobitiques ordonnés selon ce principe.

Structure des floriléges pachômiens Nous venons de voir comment les deux blocs d'emprunts à Pachôme se rapportent aux textes propres qui les précèdent respectivement. A présent, il nous faut examiner de plus près ces centons pachômiens.

Leur structure est, elle aussi, relativement simple. A deux reprises, l'Orientale déflore successivement les divers recueils de règles pachômiennes (*Praecepta, Instituta, Iudicia, Leges*), en suivant l'ordre des textes. La première série va du milieu des *Praecepta* (ROr 5 = *Praec.* 60) jusque vers la fin des *Leges* (ROr 21 = *Leg.* 14), mais elle est précédée et suivie d'un couple d'articles successifs qui ne s'intègrent pas dans cette progression (ROr 4 = *Praec.* 113-114 ; ROr 22-23 = *Praec.* 56-57). La seconde série est dépourvue de ce genre d'encadrement. Elle reprend les *Praecepta*, en commençant plus haut que précédemment (ROr 36 = *Praec.* 31), et elle s'arrête aussi plus haut que la première série, à la fin des *Iudicia* (ROr 47 = *Iud.* 16), sans pénétrer dans les *Leges*.

Entre les deux blocs, ROr 27 cite isolément le *Praec.* 49, qui occupe de fait, dans l'œuvre pachômienne, une place intermédiaire entre les derniers *Praecepta* du premier bloc (ROr 22-23 = *Praec.* 56-57) et les premiers du second (ROr 36-38 = *Praec.* 31-33). Il se trouve donc que cet emprunt isolé, visiblement suggéré par un motif thématique[9], amorce

---

9. Ces lignes sur l'accueil des postulants se rattachent au directoire du portier.

le mouvement régressif par lequel on passe du premier florilège au second.

Puisque les deux blocs sont presque entièrement constitués par des séries progressives, l'ordre des extraits à l'intérieur de chacun d'eux n'a pas de signification particulière. Seuls méritent considération les articles spécialement choisis pour encadrer le premier bloc. Les deux premiers (ROr 4 = *Praec.* 113-114) touchent à la désappropriation : défense de recevoir aucun dépôt confié par un frère et de rien avoir en cellule sans permission du prévôt. Outre le thème fondamental de la non-propriété, dont nous verrons l'importance, ce double interdit met en cause le *praepositus,* personnage qui vient de faire l'objet du troisième directoire de supérieur (ROr 3). C'est donc bien à dessein que l'Orientale place ici ces deux articles. Ils font le joint entre le directoire du prévôt et le premier florilège pachômien, destiné à préciser la discipline que ce même prévôt devra maintenir[10].

A leur tour, les deux derniers articles (ROr 22-23 = *Praec.* 56-57) jouent un rôle de liaison. Traitant des frères envoyés à l'extérieur, ils complètent un des derniers articles de Pâchome reproduits, qui parlait des sorties (ROr 20 = *Leg.* 13), et annoncent le directoire du portier qui suivra bientôt (ROr 26-27). En outre, ils servent d'amorce à des commentaires du texte propre, les uns entièrement indépendants, les autres inspirés par la Règle des Pères, où réapparaissent les « anciens », si souvent mentionnés dans les textes originaux subséquents[11], et où est réglée l'importante question de l'horaire[12]. Pour des raisons qui nous échappent en partie[13],

---

10. Ce florilège se terminera justement par la mise en jugement du prévôt (ROr 21 = *Leg.* 14), avant-dernier article de la Règle pachômienne.

11. Voir ROr 22, 3 (cf. 19 = *Iud.* 8) et ROr 25-28 et 30-32 (9 mentions des *seniores*).

12. ROr 24, 1-2 = 2RP 23-25, préparé par ROr 22, 4-5 = 2RP 11. Chez les Pères, les deux passages, où il est également question d'*opus/opera* et de *medite*, se répondent visiblement. Dans l'Orientale, la correspondance est effacée par la disparition de ces termes, mais il est clair que ceux-ci ont suggéré le rapprochement. — Ces commentaires

le compilateur a donc utilisé ces deux *Praecepta* comme une transition entre son premier centon pachômien et les textes propres qui suivent, influencés ou non par les Pères.

Détail des emprunts   Puisque, hors de ces quatre
à Pachôme   articles, l'ordre de la compila-
tion est purement mécanique, la seule chose qui reste à examiner est la matière dont traitent les articles sélectionnés.

Dans le premier bloc, nous l'avons dit, le *praepositus* et le « père » occupent une place de choix. De l'observance commise à leur garde, le premier point est l'entière désappro-priation des frères. D'entrée de jeu, on l'a vu, le rédacteur marque nettement cette exigence, et il la renforce en corrigeant le texte pachômien : au lieu d'interdire de *manger* en cellule (*Praec.* 114), notre règle défend d'y *avoir* quoi que ce soit (ROr 4, 2). La même défense sera répétée un peu plus loin (ROr 7 = *Praec.* 81), et des précisions ultérieures prohiberont tout échange entre les frères, ainsi que la réception d'objets et la fermeture de cellules sans permission (ROr 9-10 = *Praec.* 98.106-107). Ce dernier interdit − pas de cellule fermée − est particulièrement intéressant, puisque la Règle des vierges de Césaire d'Arles, suivie par tous ses épigones, en fera une de ses dispositions contre la propriété[14].

---

parlent encore de correction (ROr 24, 3-4 = 2RP 4 et 35-36), thème qui sera bientôt développé méthodiquement à l'aide de la Seconde Règle (ROr 32-35).

13. Si l'application particulière aux voyageurs (ROr 22, 4-5) d'une consigne de silence originellement destinée à tous les frères (2RP 11) se justifie sans peine (cf. RMac 22, 3), on voit moins bien pourquoi l'emploi du temps est donné aux seuls frères rentrés de voyage (ROr 24, 1-3), non à la communauté entière (2RP 23-25). On ne peut s'empêcher de soupçonner que le relatif de liaison *Quibus* (ROr 24, 1) rattachait primi-tivement cette période à un autre contexte et se rapportait à tous les frères.

14. CÉSAIRE, *Reg. uirg.* 9 et 51. Cf. notre article « La Règle de Césaire d'Arles pour les moines : un résumé de sa Règle pour les moniales », dans *RAM* 47 (1971), p. 369-406 (voir p. 382-385).

Après la désappropriation, le premier souci du législateur est le silence. Il le prescrit aussi bien pendant le travail (ROr 5 = *Praec.* 60) que durant la nuit (ROr 8.44 = *Praec.* 88.94) et au cours des repas (ROr 36.39 = *Praec.* 31.33), avec sanctions à l'appui dans ce dernier cas. Connexe à cette discipline du silence est l'interdiction de rapporter de l'extérieur des messages ou des récits (ROr 33 = *Praec.* 57).

Les interdits alimentaires qui apparaissent ensuite se rattachent de façon large à la lutte contre la propriété. D'abord le cuisinier ne peut rien prendre avant le repas commun (ROr 6 = *Praec.* 74), et les servants de table n'ont pas le droit de s'accorder un régime particulier (ROr 38, 2 = *Praec.* 35). L'octroi d'aliments aux bien portants et aux malades sera également réglementé de façon à éviter tout arbitraire de la part de celui qui donne ou de celui qui reçoit (ROr 39, 1-2 = *Praec.* 39-40).

Plusieurs fois mise en cause par les règles de désappropriation (ROr 4.7.10), la cellule reparaît dans deux articles annexés à des prescriptions sur le silence (ROr 8, 2 et 44, 2 = *Praec.* 89.95). On y trouve assez nettement, surtout dans le second, des préoccupations de chasteté[15]. Les mêmes règles contre la propriété subordonnent tout au contrôle des supérieurs[16], et font donc constamment appel à l'obéissance. Souvent, en outre, celle-ci se présente dans d'autres contextes (ROr 11.42 = *Praec.* 118.55 ; ROr 13, 3 et 16, 2 = *Inst.* 5.17 ; ROr 19 = *Iud.* 8).

C'est encore à la question de la propriété que ressortissent de quelque manière plusieurs prescriptions concernant les objets trouvés (ROr 11, 2 = *Praec.* 132), les légumes pris au jardin (ROr 43 = *Praec.* 71), les vêtements non utilisés par leur légitime usager (ROr 45 = *Inst.* 8)[17]. La première de ces prescriptions mentionne la « collecte des frères », c'est-à-dire une réunion liturgique, et cette mention amène le rédacteur à

---

15. Celles-ci se confirment dans ROr 44, 3 = *Praec.* 95.

16. De même ROr 37 = *Praec.* 32 (*absque maioris imperio*).

17. Voir aussi ROr 13 = *Inst.* 5 (objets gâchés).

recommander l'assiduité aux heures de prière, qu'on se trouve au monastère ou à l'extérieur (ROr 12 = *Praec.* 141-142).

Enfin, quand il commence à déflorer les *Instituta,* notre auteur entre dans un domaine dont il ne sortira plus guère : celui des pénalités. Sur cinq articles tirés des *Instituta*, quatre se rapportent à ce sujet (ROr 13-16 = *Inst.* 5.9.10.17), et après l'énorme directoire du *praepositus*, les sanctions reprennent dans trois des quatre articles pris aux *Iudicia* et aux *Leges* (ROr 18-19 et 21 = *Iud.* 7-8 et *Leg.* 14)[18]. Dans le second bloc pachômien, il est encore question de sanctions pour parole ou retard à table (ROr 36-37 = *Praec.* 31-32) et pour usage du vêtement d'autrui (ROr 45 = *Inst.* 8), tandis que les abus de pouvoir du prévôt et les encouragements donnés à un coupable, déjà sanctionnés précédemment[19], sont punis une dernière fois (ROr 46-47 = *Iud.* 14.16).

Tels sont les principaux thèmes qui surgissent à mesure qu'on avance dans le florilège pachômien. Pour chacun d'eux, nous avons joint les indications du second florilège à celles du premier. Il ne reste donc qu'à rappeler l'importance centrale du prévôt, en relation avec le directoire de cet officier (ROr 3), dans le premier bloc, et le rôle que jouent les rapports avec l'extérieur, en relation avec le directoire du portier (ROr 26-27), soit à la fin de cette première tranche de textes pachômiens (ROr 22-23 = *Praec.* 56-57 : sorties et retours), soit dans le paragraphe isolé au milieu du texte propre (ROr 27, 1-6 = *Praec.* 49 : réception du postulant), soit au cours de la seconde tranche pachômienne, où trois articles successifs (ROr 40-42 = *Praec.* 51.53.55) traitent de la réception des clercs et des moines, des entretiens avec les visiteurs et des sorties pour assister aux obsèques de parents défunts.

---

18. Même dans ROr 20 = *Leg.* 13, le pouvoir de juger et de corriger donné aux *maiores* ressortit à ce thème pénal. Sur ces *maiores,* voir ci-dessus, n. 2.

19. Cf. ROr 16 et 21 = *Inst.* 17 et *Leg.* 14 (prévôt) ; ROr 33 (cf. 2RP 30 : complice).

Ce que l'Orientale prend   En somme, notre compilateur
et laisse chez Pachôme   sélectionne visiblement les articles qui se rapportent à
quelques thèmes favoris : avant tout, la fonction du prévôt, la
lutte contre l'appropriation d'objets et d'aliments, la
discipline du silence, l'entière obéissance à la règle et aux
supérieurs, la répression des fautes de toute nature. Il fait
siennes aussi diverses procédures d'inculpation et d'arbitrage
impliquant le prévôt, retient plusieurs points concernant
l'hospitalité et l'accueil, répète qu'un frère ne doit jamais être
seul à voyager ou même à s'entretenir avec un visiteur.

S'il est relativement facile de dégager ces thèmes préférés,
on aurait beaucoup plus de peine à énumérer complètement,
et surtout à grouper, les prescriptions pachômiennes laissées
de côté par notre règle. Quelques indications à ce sujet sont
pourtant indispensables, si l'on veut saisir la signification de
ses choix.

Pourquoi, par exemple, les trente premiers *Praecepta*
sont-ils omis en bloc ? Sans doute parce que ces règlements
pour la « collecte », la conférence, le travail, les repas, sont
faits de détails très précis, comme la façon de manier les
roseaux et de fabriquer les nattes, qui seraient sans application dans le monastère visé par l'auteur. Dans la suite, on
discerne mainte fois ce propos d'écarter les traits trop
particuliers et de se tenir à un certain niveau de généralité.
C'est ainsi que, du *Praeceptum* 81, seul subsiste le principe
initial : « Personne n'aura dans sa cellule et dans sa maison
quoi que ce soit, en plus de ce que prescrit la loi commune du
monastère », tandis que l'énumération subséquente des vêtements et objets défendus ou autorisés disparaît. De fait, la
plupart de ces articles vestimentaires ne sont sans doute pas
en usage dans le milieu monastique du compilateur, au moins
sous le nom et la forme exotiques que leur donne la Règle
pachômienne.

L'Orientale omettra pareillement la lessive et le séchage
des vêtements, le soin des livres et des chaussures
(*Praec.* 100-104), l'onction et le lavage des corps, l'extraction
des épines, la tonsure (*Praec.* 92-97), la façon pachômienne

originale de dormir assis (*Praec.* 87), le travail collectif du pétrissage (*Praec.* 117-118), la récolte des feuilles et des fruits de palmiers (*Praec.* 72 et 75), les expéditions en groupes pour travailler hors clôture (*Praec.* 58-59 et 61-70). Sont encore omis des détails inadaptés comme la distribution d'aliments à la porte du réfectoire (*Praec.* 37-38 et 78), les « six oraisons » vespérales (*Praec.* 121 et 125-126), la façon de suivre les obsèques (*Praec.* 127-131).

Plus d'une fois, ces omissions se justifient en outre par une profonde différence qui sépare les communautés pachô-miennes de celle de l'auteur : les « maisons » des premières sont absentes de la seconde. Tout article qui suppose cette pluralité de maisons au sein du même monastère est éliminé d'office (*Praec.* 83.115.122)[20]. Dans l'Orientale, le *praepositus* n'est plus un chef de maison particulière, mais le supérieur en second pour la communauté entière.

Pour finir, deux séries d'omissions méritent encore d'être relevées. D'abord celle des passages mentionnant les femmes, que ce soit à propos d'hospitalité (*Praec.* 52), de voyages (*Praec.* 119) ou de monastères de vierges (*Praec.* 143-144). Apparemment, le monastère de l'Orientale n'a ni hôtellerie féminine, ni communauté de moniales qui lui soit associée.

Quant aux voyages, le silence sur les femmes à leur propos est moins significatif, car il s'agit plus précisément de voyages en bateau. Or — et c'est là le second groupe d'omissions à relever — l'Orientale ne mentionne jamais le « navire » pachômien, bien qu'elle emprunte à deux articles où il en est question[21]. Le premier de ceux-ci en devient un peu énigmatique : « délier de terre un câble » fait certes penser à un départ nautique, mais sans le signifier assez clai-

---

20. Sont maintenues deux mentions de la *domus* qui peuvent à la rigueur s'entendre du monastère entier : ROr 7, 1 = *Praec.* 81 (*in domo sua*) ; ROr 39, 2 = *Praec.* 40 (*praepositus domus*). Il peut s'agir d'ailleurs d'inadvertances. En revanche, *domus* est omis dans ROr 21, 1 ; 37 ; 41, 1 (cf. 16, 1 ; 27, 6).

21. ROr 11, 1 et 12, 2 = *Praec.* 118 et 142. Sont omis les *Praec.* 46 (*nauis*) et 67 (*nauta*).

rement. D'après cette indication trop peu explicite, il semble que le monastère de l'Orientale était situé au bord d'un cours d'eau que l'on pouvait traverser en barque. D'autre part, l'omission des textes qui mentionnent la navigation suggère que les moines ne faisaient pas de courses importantes en bateau.

Usage proportionnel des quatre recueils pachômiens

Avant de quitter le double centon pachômien de notre règle, essayons d'évaluer ce qu'elle doit à chacun des recueils traduits par Jérôme. En valeur absolue, voici le montant de ses emprunts, calculé d'après l'édition de Boon :

> *Praecepta* : 92 lignes.
> *Instituta* : 75 lignes.
> *Iudicia* : 15 lignes.
> *Leges* : 19 lignes.

Les quatre recueils étant rangés chez Jérôme par ordre de grandeur, il est à remarquer que l'emprunt de l'Orientale aux *Leges* dépasse l'emprunt aux *Iudicia*, bien que ceux-ci soient plus longs.

Par rapport au nombre total de lignes de chaque recueil, voici ce que représentent les prélèvements de l'Orientale :

> *Praecepta* : 15 %.
> *Instituta* : 57 %.
> *Iudicia* : 14 %.
> *Leges* : 27 %.

L'ordre de préférence est donc : *Instituta, Leges, Praecepta, Iudicia.* Plus long à lui seul que les trois autres, le grand recueil des *Praecepta* est proportionnellement peu utilisé par l'Orientale. L'usage préférentiel que celle-ci fait des *Instituta* s'explique à la fois par leur énorme directoire du *praepositus* et par leurs nombreuses sanctions. Rien n'intéresse autant notre compilateur, nous l'avons vu, que la fonction du prévôt et la répression des manquements.

Les emprunts   L'usage fait de la Seconde
à la Seconde   Règle des Pères est fort différent
Règle des Pères   de l'utilisation des *Pachomiana*.
                          Cette fois, les emprunts sont
brefs, fragmentaires, discontinus, parfois réduits à deux ou
trois mots.

De plus, il arrive que le même texte des Pères soit utilisé à
plusieurs reprises, et ces remplois variés s'accompagnent de
transpositions : ce que les Pères disaient de la règle (2RP 3),
l'Orientale le répète à propos de l'abbé et du prévôt (ROr 1, 1
et 3, 4) ; des recommandations que les Pères adressaient à
tous les frères (2RP 5-6) passent dans le directoire particulier
du prévôt (ROr 3, 3-4), aussi bien que dans l'exhortation
générale aux frères (ROr 30, 1-2) ; une condamnation portée
contre ceux qui s'absentent de l'office (2RP 35) s'applique
successivement aux désobéissants et à ceux qui encouragent
les coupables (ROr 24, 4 et 33, 2). La plus curieuse de ces
transformations est celle d'un groupe de mots du début de la
Seconde Règle (2RP 4), qui, en passant dans l'Orientale,
changent non seulement de contexte, mais même de
signification (ROr 24, 3).

Ces faits montrent que l'œuvre des Pères n'est pas présente
à l'Orientale de la même façon que la Règle pachômienne.
Celle-ci est utilisée comme un document écrit, que le
rédacteur a sous les yeux. Au contraire, la Règle des Pères
est un texte que l'auteur des parties propres a dans la tête. De
mémoire, il en reproduit çà et là un court passage, une phrase
ou même quelques mots, qui peuvent lui revenir à l'esprit en
diverses occasions. Très libre, son usage de la Seconde Règle
dénote une grande familiarité. On dirait que son esprit en est
saturé, comme on l'est d'un écrit dont on entend souvent la
lecture.

Ce que l'Orientale emprunte aux Pères, c'est d'abord
l'interdiction du bavardage (ROr 22, 4 = 2RP 11). On
retrouve là le souci du silence, si notable déjà dans les
centons pachômiens. Général chez les Pères, l'interdit ne
s'adresse ici, à ce qu'il semble, qu'aux frères envoyés à

l'extérieur. Mais la place de cet emprunt fait problème, comme on l'a vu[22], ainsi que celle du suivant.

A s'en tenir au texte tel qu'il nous est transmis, cette dernière péricope (ROr 24, 1-4) vise les frères qui rentrent de voyage. L'emploi du temps qu'on leur impose est celui de la Seconde Règle sous sa forme primitive, identique à l'horaire des Quatre Pères : la lecture se prolonge jusqu'à tierce (2RP 23-25). Quant au travail qui la suit, l'Orientale, comme les Pères, frappe les manquements qui s'y commettent, mais au lieu de reproduire la sanction de sa source, elle en constitue une nouvelle par un étonnant assemblage de textes pris à deux autres passages de cette dernière (ROr 24, 3-4 = 2RP 4 et 35-36).

Quand le compilateur, ayant parcouru sa seconde série d'officiers, s'adresse généralement à tous les frères, il le fait en paraphrasant l'exhortation initiale des Pères (ROr 30 = 2RP 5-6). Deux faits caractéristiques sont à noter dans ce remploi : la mention des « autres vertus enseignées par l'Apôtre » est supprimée, ainsi que la référence aux « Actes des Apôtres ». D'un bout à l'autre de l'Orientale, nous le verrons, règne ce même silence à l'égard de l'Écriture, qui n'est jamais citée formellement et presque jamais évoquée, même par de simples allusions.

En prescrivant ensuite à tous les frères une entière soumission aux anciens, le législateur suit encore la Seconde Règle (ROr 31 = 2RP 10), mais il remplace le *praepositus* de celle-ci — c'est-à-dire le premier supérieur — par les *seniores*. Avec ou sans l'abbé, ces derniers tiennent une place considérable dans toute la section intermédiaire (ROr 24-35). Ils y sont mentionnés huit fois, alors que pas une mention n'est faite du prévôt.

---

22. Voir notes 12 et 13. La difficulté tient surtout au second passage (ROr 24, 1-3 = 2RP 23-25), mais le premier lui est connexe par son origine dans 2RP 11 et son voisinage dans ROr 22, 4-5, de sorte qu'il entre dans le problème lui aussi. Nous y reviendrons plus loin (ch. II, n. 23).

Le règlement pénal qui suit (ROr 32-35) continue à utiliser la Règle des Pères, en puisant dans trois passages différents : les sanctions contre le désobéissant et son complice (2RP 28-30), la menace adressée au déserteur de l'office (2RP 35) et la procédure générale de la fin (2RP 40-44). Un tel cumul explique pour une part la multiplication des instances successives par lesquelles l'Orientale fait passer le coupable. Mais en additionnant les diverses mesures répressives des Pères, on n'obtient pas plus de quatre ou cinq corrections. Pour atteindre le nombre énorme de huit pénalités graduées, qui s'enchaînent sans interruption depuis les premiers avertissements jusqu'à l'expulsion, l'auteur des parties propres de l'Orientale a mis beaucoup du sien et déployé un zèle éducatif peu ordinaire. Ces efforts multipliés pour redresser les délinquants font penser à la Règle bénédictine[23].

Arrivé à la fin de la législation pénale des Pères, l'auteur omet, selon son habitude, la citation scripturaire par laquelle ceux-ci concluaient[24], et l'on passe aux *Praecepta* de Pachôme avec une sanction contre ceux qui parlent ou rient pendant les repas. Mais ce passage à une autre source et à un autre sujet, celui de la tenue au réfectoire, ne marque pas une rupture aussi complète qu'on pourrait le croire. En réalité, c'est sans doute la Seconde Règle qui a suggéré ce nouveau thème au compilateur. Après sa procédure pénale, elle se termine en effet par une phrase interdisant de parler à table (2RP 46). Il est probable que notre rédacteur s'est laissé guider par cette courte phrase vers le réfectoire, dont il a préféré traiter sous la forme plus développée que lui offraient les quatre *Praecepta* pachômiens reproduits par lui (ROr 36-38 = *Praec.* 31-33 et 35).

---

23. *RB* 23-30. Cf. *La Règle de saint Benoît*, t. V (*SC* 185), p. 737-740.
24. 2RP 45 (Mt 18, 17).

L'Orientale et la Règle de Macaire   Cet aperçu de l'utilisation des sources dans l'Orientale suggère un rapprochement entre celle-ci et la Règle de Macaire. L'une et l'autre comporte des emprunts à deux sources distinctes et des parties propres. L'Orientale emprunte à Pachôme et à la Seconde Règle des Pères, Macaire à la Seconde Règle des Pères et à Jérôme. De part et d'autre, il n'y a pas seulement combinaison de deux sources, mais en outre une de ces sources — la Règle des Pères — se retrouve dans les deux cas. Cependant un sort différent est fait à cette source commune : alors que Macaire en tire un bloc compact — presque toute la seconde moitié de l'œuvre des Pères —, qu'il reproduit d'un seul tenant avec très peu de changements (RMac 10-18), les parties propres de l'Orientale y puisent de façon intermittente et très libre, les extraits se groupant avec souplesse en deux séries principales (ROr 22-24 et 30-35).

Ce dernier mode d'emploi rappelle moins la façon dont Macaire utilise les Pères que son traitement de la Lettre à Rusticus. De leur côté, les centons pachômiens de l'Orientale ressemblent assez — leur éclectisme mis à part — à la portion de la Seconde Règle reproduite en bloc par Macaire. Nos deux œuvres associent donc pareillement le remploi intensif d'une source et l'usage plus souple d'une autre, la Seconde Règle étant traitée différemment dans chaque cas :

	Reproduction servile	Utilisation libre
Macaire	Seconde Règle des Pères	Jérôme, *Ep.* 125
Orientale	Jérôme, *Pachomiana*	Seconde Règle des Pères

A dessein, nous avons noté sur ce tableau que les *Pachomiana*, cités par l'Orientale, ont été traduits par Jérôme. C'est là, en effet, un nouveau point de contact de l'Orientale avec Macaire : l'une et l'autre utilise, avec la Règle des Pères, une œuvre hiéronymienne. Cet usage semblable de deux sources, l'une identique, l'autre prise au même auteur, avec chassé croisé quant au mode d'emploi, établit entre nos deux règles une relation des plus curieuse.

L'alternance des deux sortes d'extraits et des parties propres au sein de chaque règle se prête aussi à un rapprochement suggestif :

RMac : Propre / Jérôme (*Ep.*) / 2RP / Jérôme (*Ep.*) / Propre
ROr : Propre / Jérôme (*Pac.*) / 2RP / Propre[25] / 2RP / Jérôme (*Pac.*)

Outre l'origine hiéronymienne analogue des *Pachomiana* et de la Lettre à Rusticus, on notera que le pachômianisme lui-même, qui tient une telle place dans l'Orientale, n'est pas tout à fait étranger à la Règle de Macaire. Celle-ci, en effet, est attribuée par son titre au père légendaire de cinq mille moines qui aurait eu pour prédecesseur Antoine et pour successeur Pachôme. Par ce dernier trait, elle se rattache, au moins indirectement, aux *Pachomiana* de Jérôme et possède un lien de parenté nouveau avec l'Orientale.

Malgré tous ces traits qui les unissent, les deux œuvres sont profondément différentes. Autant Macaire, en disciple de Jérôme, s'intéresse à l'édification spirituelle des personnes, autant l'Orientale, dans la ligne de Pachôme, est tournée vers la réglementation pratique et l'organisation de la communauté. Ses parties propres ne visent qu'à définir exactement les devoirs de chaque responsable en vue du bien commun. L'abondance des références scripturaires chez Macaire et leur absence quasi complète[26] dans l'Orientale, semblable sur ce point encore à sa source pachômienne, achèvent de différencier les deux règles sœurs.

---

25. Cette section comprend en son centre un morceau des *Pachomiana* (ROr 27, 1-7 = *Praec.* 49).

26. Sauf ROr 1, 2-3, simples allusions (cf. 1 Tm 3, 2 ; Tt 2, 7).

Les parties propres :   Pour finir, jetons un coup
l'abbé   d'œil sur les parties propres de
l'Orientale, qui en sont l'élément
le plus intéressant. Ces deux trios de responsables, les uns du
spirituel, les autres du matériel, sont décrits avec une précision et une clarté remarquables. La Règle des Quatre Pères
n'avait fait qu'esquisser le portrait de l'unique supérieur.
Celui-ci est dépeint de nouveau avec beaucoup plus de
détails, et en outre ses divers collaborateurs sont représentés
avec un soin presque égal.

Abbas est le nom de ce supérieur. Ce titre n'apparaît plus
seulement, comme chez Macaire, de façon occasionnelle,
dans un paragraphe perdu à la fin de la règle. Le rôle de
l'abbé est tracé dès le début et présenté avec solennité comme
le fondement de tout l'ordre communautaire.

Les deux anciens   Les deux anciens, dont la
fonction est réglée ensuite, sont
l'institution la plus originale de l'Orientale. L'*Historia
monachorum* parlait déjà des *duo seniores* du monastère de
l'abbé Isidore, seuls habilités à franchir la clôture[27], mais leur
rôle de proviseurs-celtériers différait de celui qui est décrit ici.
Dans l'Orientale, l'un des anciens se tient aux côtés de l'abbé
.et l'autre accompagne les frères. Ces collègues égaux et
interchangeables font penser aux paires d'officiers de la Règle
du Maître, et particulièrement aux deux *praepositi* de chaque
« décade », dont la tâche principale est d'exercer une
surveillance perpétuelle sur leurs hommes[28]. Cependant les
prévôts du Maître ne s'occupent que des frères, sans avoir de
tâche à remplir auprès de l'abbé. La première fonction des
« anciens » de l'Orientale, celle d'assistant du supérieur, reste
donc sans parallèle exact, d'autant que le rôle de « second »,

---

27. *Hist. mon.* 17 (*PL* 21, 440 a).

28. Voir *RM* 11, 27-30, où même les rencontres verbales avec ROr 3,
6-7 ne manquent pas.

bien attesté chez les Pachômiens et ailleurs, correspond plutôt à celui du *praepositus* de notre règle[29].

Le prévôt

Ce dernier est lui aussi un *senior*, mais seul de son espèce. Il a autorité sur tous les frères après l'abbé, dont il assure le remplacement en cas d'absence. Ses rapports avec les deux anciens ne sont pas spécifiés. Sans doute le premier d'entre eux lui sert-il d'assistant quand il remplace l'abbé.

Notons à ce propos que les directoires des anciens et du prévôt s'ignorent mutuellement, et que ces officiers apparaissent ensuite dans des zones différentes de la règle. Dans le premier florilège pachômien, le prévôt est souvent nommé, les anciens une fois seulement. Dans la section intermédiaire, le rapport est inverse : les anciens figurent presque à chaque paragraphe, tandis que le prévôt disparaît.

Rien ne permet toutefois de soupçonner la règle d'être composite. L'absence quasi totale de *senior* dans les *Pachomiana* de Jérôme[30] suffit à expliquer le premier fait. Quand au second, il tient sans doute pour une bonne part à ce que *seniores* est un terme générique, qui recouvre le prévôt aussi bien que les « anciens » proprement dits.

Sous le bénéfice de cette dernière remarque, relevons que la section intermédiaire unit habituellement les *seniores* à l'abbé[31]. L'autorité, dans l'Orientale, n'est pas autocratique mais collégiale. Sans doute s'agit-il d'un partage limité, le pouvoir suprême de l'abbé demeurant entier. Mais pour être lui-même hiérarchisé, l'ensemble des quatre supérieurs n'en constitue pas moins une sorte d'équipe. Ce souci d'organiser

---

29. Ce « second », en effet, est unique pour chaque monastère ou maison.

30. En dehors de *Iud.* 8, reproduit par ROr 19, on ne trouve les *seniores* que dans *Praec.* 143 (responsables des moniales), omis par l'Orientale.

31. ROr 26, 2.4.5 ; 32, 9. Dans ROr 32, 2, *paucis senioribus* montre bien le sens générique du terme, qui paraît même déborder les deux anciens et le prévôt.

l'encadrement de la communauté, en lui donnant un groupe de dirigeants bien agencé, est certainement le trait le plus remarquable de l'Orientale.

Dans cette équipe de tête, le rôle le plus délicat est visiblement celui du prévôt. On craint à la fois qu'il ne fasse des ennuis à l'abbé et qu'il n'accable les frères (3, 4). Avec soin, on marque sa dépendance à l'égard du premier supérieur : c'est l'abbé qui l'« ordonne », et c'est à l'abbé aussi qu'il doit en référer pour tout[32]. Quant à ses difficultés avec les frères, elles sont envisagées à deux reprises dans le premier centon pachômien, et une troisième fois à la fin du second, dans l'avant-dernier article de la règle[33]. Cette insistance est encore accentuée par l'énorme directoire du *praepositus* pris aux *Instituta* de Pachôme, où on lui inculque à nouveau la soumission à l'autorité supérieure[34] et tous ses devoirs de chef, notamment la justice envers ses subordonnés[35].

L'accent mis sur la sujétion du prévôt par rapport à l'abbé rappelle évidemment le chapitre *De praeposito* de la Règle bénédictine[36]. De leur côté, les précautions prises contre ses abus de pouvoir font penser à certains avertissements que Benoît adresse à l'abbé lui-même[37]. C'est dire que notre règle concentre sur le prévôt les soucis divers que donnent à Benoît les deux premiers supérieurs. Ce *praepositus* est le personnage important et préoccupant de l'Orientale.

---

32. ROr 3, 1 et 5.

33. ROr 16.21.46 = *Inst.* 17 ; *Leg.* 14 ; *Iud.* 14. Dans ce dernier article, l'Orientale spécifie qu'il s'agit du *praepositus*.

34. ROr 17, 9 = *Inst.* 18.

35. ROr 17, 33 et 45 = *Inst.* 18.

36. *RB* 65.

37. *RB* 27, 6-7 ; 63, 2-3 ; 64, 7-19 ; 65, 22. Dans *RB* 70, 5-7, la mise en garde s'adresse à tous.

Le cellérier Le directoire du cellérier (ROr 25) se situe à mi-chemin entre les quelques lignes des Quatre Pères[38] et le long chapitre du Maître[39]. Comme les Pères, l'Orientale commence par recommander au cellérier l'abstinence et la sobriété, et comme le Maître, elle ajoute à cette requête des prescriptions variées. Plusieurs de celles-ci correspondent aux recommandations du Maître : fidélité, soumission aux supérieurs — les *seniores* remplacent ici l'abbé —, manière de donner et de reprendre les objets confiés. D'autres font plutôt penser à la Règle bénédictine : égal éloignement de la prodigalité et de l'avarice, bonté pour les malades, responsabilité à l'égard des hôtes. Cependant ni le Maître ni Benoît ne donne au cellérier une compétence aussi étendue. Selon l'Orientale, le *cellararius* ou *custos cellararius* conserve non seulement les aliments, la batterie de cuisine et la vaisselle, mais encore toute espèce d'objets d'usage courant, tels que vêtements, récipients et outils[40]. Ainsi notre règle ignore encore le ou les gardiens du matériel institués par le Maître et par Benoît[41].

Le portier Une remarque analogue est à faire au sujet du portier (ROr 26-27). C'est à son propos que l'Orientale traite de la réception des postulants, en reproduisant une partie des

---

38. RIVP 3, 23-27, qui met seulement en garde contre la *gula* et le vol.

39. *RM* 16. Voir notamment *RM* 16, 62 (*fidelis et abstinens*, qui rappelle ROr 25, 1 : *abstinentiam... fideliter* ; « abstinence » s'oppose à la *gula* des Quatre Pères, « fidélité » correspond à leur condamnation du vol) ; 16, 32-34 (soumission ; cf. ROr 25, 2) ; 16, 39-40 et 57 (roulement des objets ; cf. ROr 25, 4). — Quant à Benoît, voir en particulier *RB* 31, 9 et 12, qui rappelle ROr 25, 6-9.

40. ROr 25, 3. Cf. RIVP 3, 28-30, où le soin des *uasa* et *ferramenta*, recommandé à tous, fait suite au directoire du cellérier.

41. *RM* 17 et *RB* 32. Cependant, d'après *RB* 31, 15, la compétence du cellérier est relativement indéterminée. C'est l'abbé qui lui trace ses limites.

directives de Pachôme[42]. Le portier est la seule personne qui
y soit nommée. Fait-il plus que d'« annoncer au père du
monastère » l'arrivée du nouveau venu ? Intervient-il aussi
dans l'interrogatoire et l'instruction des postulants ? En tout
cas, il n'est pas question, comme chez Benoît, d'un ancien qui
veille sur les novices, et l'inclusion du paragraphe pachômien
dans le directoire du portier donne l'impression que ce
personnage est seul chargé, avec l'abbé, de l'examen et de
l'instruction des nouvelles recrues.

Cette absence du maître des novices bénédictin se retrouve
chez le Maître, mais celui-ci prescrit du moins des délais
— deux mois pour tous, un an entier pour les laïcs — avant la
profession et l'admission en communauté. Ces délais
prolongés ne sont pas mentionnés par l'Orientale, qui parle
seulement, avec Pachôme, de « quelques jours à la porte »,
dans la ligne de l'*ebdomada pro foribus* des Quatre Pères[43].
Sur ce point aussi, la pratique de notre règle paraît assez
archaïque. Elle se situe avant la généralisation de l'année de
noviciat que l'on constate dans les règles du VIe siècle.

En regard de ces signes d'ancienneté, on notera que ce
directoire du portier est le premier de son espèce. Certes
l'*ostiarius* ou *ianitor* figure à mainte reprise dans la Règle
pachômienne, mais ni Pachôme ni les Pères n'avaient rédigé
un corps d'instructions spécial pour ce personnage. A cet
égard, l'Orientale innove, et elle ouvre la voie au Maître et à
Benoît, qui placeront l'un et l'autre un *De ostiariis monasterii*
à la fin de leur règle. Quant aux consignes données au
portier, la première — « répondre honnêtement, avec humilité
et respect » — annonce la Règle bénédictine, tandis que les
suivantes, qui relèvent d'une sévère discipline de la clôture,
font plutôt penser à Pachôme et à Césaire d'Arles.

---

42. ROr 27, 1-7 = *Praec.* 49.
43. RIVP 2, 25.

Les semainiers   Le service de semaine, que
l'Orientale règle en dernier lieu,
est une institution bien attestée pour l'Égypte par la Lettre de
Jérôme à Eustochium et la Règle pachômienne, pour la
Palestine par Cassien[44], mais le nom de *septimanarii* donné
ici aux serviteurs ne se rencontre pas, à notre connaissance,
avant le Maître et Benoît[45]. Ceux-ci, d'ailleurs, l'emploient
moins que le terme primitif des *Pachomiana* et de Cassien,
hebdomadarii[46]. L'Orientale est donc, ici encore, à la pointe
d'un développement du monachisme latin.

Elle l'est aussi par le simple fait de rédiger un directoire
pour ces serviteurs, si court soit-il. Déjà Pachôme parlait
souvent de la tâche des divers hebdomadiers, et Cassien
vantait les mérites de leur service, mais ce petit programme
général est une nouveauté, qui prépare une fois de plus les Règles du Maître et de Benoît.

L'exhortation à tous   L'exhortation générale qui
les officiers   conclut les parties originales
— la suite dépendra fortement
de la Seconde Règle des Pères — montre bien l'importance
capitale que l'auteur attache aux offices dont il vient
d'achever la description. Cet intérêt dominant pour les cadres
de la communauté annonce le Maître, qui portera aussi,
toutefois, dans la ligne de Macaire, une grande attention à la
formation spirituelle des simples moines.

---

44. JÉRÔME, *Ep.* 22, 35, 4 (*mensas quibus per singulas ebdomadas
uicissim ministrant*) ; *Praef. in Reg. Pach.* 2 (*ebdomadarios*). — PACHÔME,
Praec. 64 (*ebdomadarius*). A cet article concernant le service de table,
s'ajoutent les mentions d'*ebdomadarii* pour l'office (*Praec.* 13 et 15), pour
le travail (*Praec.* 23 et 111), pour les malades (*Praec.* 129). — CASSIEN,
Inst. 4, 20 (*ebdomadario*) ; cf. *Inst.* 4, 19 et 21.

45. Le Maître l'emploie 6 fois, Benoît 2 fois.

46. Une cinquantaine d'emplois chez le Maître, dont quelques-uns
concernent le lecteur, les excitateurs ou les hôteliers ; quatre emplois chez
Benoît, dont deux concernent le lecteur.

Ce que l'Orientale d'une part et Macaire de l'autre avaient étudié de façon quasi exclusive, le Maître l'a donc réuni dans sa synthèse, dont Benoît sera l'héritier. Mais tandis que l'enseignement spirituel des deux grandes règles italiennes est tiré directement de Cassien, non de Macaire, leur analogie avec l'Orientale est telle, dans la structure générale de l'œuvre[47] comme dans le détail des divers directoires, qu'un véritable air de parenté les unit à cette petite règle de tradition lérinienne. N'anticipons pas toutefois sur le chapitre suivant, où nous allons examiner l'ensemble des indices qui permettent de localiser l'Orientale et de la dater.

---

47. Malgré le fait que le lieutenant de l'abbé n'apparaît qu'à la fin des règles du Maître et de Benoît, tandis que l'Orientale en parle au début.

CHAPITRE II

LOCALISATION ET DATATION

Toute tentative pour situer la *Regula Orientalis* doit partir d'un premier constat peu encourageant : celui de l'extrême pauvreté des données disponibles.

L'énigme du titre   Le titre de l'opuscule est non seulement anonyme, mais impersonnel. Ni là ni en aucun autre endroit, l'auteur ne se montre en aucune façon. Bien plus, l'épithète *orientalis* est comme un voile délibérément jeté devant le lecteur. Donner un écrit originellement latin, comme notre règle l'est à coup sûr[1], pour une œuvre « orientale », c'est déclarer d'emblée qu'elle est étrangère au milieu monastique d'Occident dont elle procède et auquel elle s'adresse, c'est laisser entendre qu'elle n'a de rapport avec aucun lieu ou monastère déterminé. De cette indication toute négative, retenons du moins un trait qui pourra être utile : notre texte est apparemment une composition exotique et artificielle, un produit littéraire non destiné à des fins pratiques immédiates.

La pauvreté de   Un autre fait qui donne à
l'attestation   réfléchir est que l'Orientale nous est connue par un seul témoin. Hors de Benoît d'Aniane, qui l'a recueillie dans son *Codex regularum* et déflorée dans sa *Concordia*, elle n'a pas eu, à

---

1. Elle reproduit en effet la traduction latine des *Pachomiana* due à Jérôme.

notre connaissance, de copistes ni même d'utilisateurs
patents. En quoi elle diffère des trois règles des Pères étudiées
précédemment, qui nous sont toutes parvenues par plusieurs
manuscrits et ont toutes aussi une postérité littéraire certaine.
Ce contraste suggère que l'Orientale n'a eu que peu de diffusion, ce qui pourrait signifier qu'elle émane d'un auteur et
d'un lieu sans grande influence.

La place que Benoît d'Aniane lui assigne dans son recueil
renforce cette impression. Au lieu de figurer parmi les
premières pièces, attribuées à de grands noms du
monachisme primitif, elle se situe presque à la fin des règles
masculines, entre les deux règles tardives et d'origine obscure
que sont la *Tarnantensis* et la *Regula cuiusdam Patris*, l'une
et l'autre conservées comme elle par le seul *Codex* de l'abbé
d'Aniane.

L'apparentement aux   Bien que celui-ci ait ainsi
règles lériniennes   séparé l'Orientale des autres
                                  règles des Pères, il n'en faut pas
moins la rattacher étroitement à ces dernières. Tout l'appa-
rente à elles : son « orientalisme » affiché, sa taille modeste,
son utilisation de la Seconde Règle, sa méthode rédaction-
nelle si voisine de celle de Macaire. Dans l'indigence où nous
nous trouvons, cette parenté littéraire est la première donnée
importante que nous devons mettre à profit. A en juger par
son ascendance et ses relations, l'Orientale appartient au
milieu monastique gaulois dont Lérins fut longtemps le
pilote.

Rapports avec la Vie   A cette référence fondamen-
des Pères du Jura :   tale se joignent plusieurs indices
le terme « Orientalis »   de rapports particuliers avec le
                                  Jura. Rappelons-les briève-
ment[2], en parcourant la *Vita Patrum Iurensium*.

---

2. Ils ont déjà été relevés dans l'Introduction à RIVP, chap. II, § III.
Voir aussi Introd. générale, chap. I, n. 23-27, en particulier n. 26-27 (sur
l'« orientalisme » d'Agaune).

A trois reprises, d'abord, l'Anonyme jurassien parle d'*Orientalium*, tantôt moines, tantôt « archimandrites », tantôt législateurs monastiques, soit qu'il les distingue des « Égyptiens » et les unisse à eux[3], soit qu'il les mentionne seuls[4]. Dans tous les cas, ces « Orientaux » sont opposés aux « Gaulois » comme des modèles prestigieux, dont pourtant il n'est pas interdit aux moines d'Occident de « surpasser les prouesses », de « rejeter l'exemple » ou de se détourner pour adopter des institutions mieux adaptées à leur « faiblesse ». Dans le second passage, l'opposition se développe sur un point précis : aux cellules orientales, Oyend substitue à Condat le dortoir. Ces dispositions complexes de dépendance et d'indépendance à l'égard de l'« Orient » font déjà penser au titre de notre règle et à son contenu.

Les relations avec les hôtes   Ensuite nous rencontrons, entre la deuxième et la troisième mention des « Orientaux », un paragraphe sur les relations des moines avec les hôtes qui rappelle assez nettement le directoire du portier de l'Orientale (ROr 26, 3-5). Comme dans celui-ci, il y est question successivement d'entrevues et d'objets reçus[5]. La première interdic-

---

3. *V. Patr. Iur.* 65, 8 : *ut Orientalium Aegyptiorumque uirtutem natura uinceret Gallicana* (il s'agit de Lupicin et de son ascèse).

4. *V. Patr. Iur.* 170, 1 : *refutato archimandritarum Orientalium instari* (Oyend remplace les cellules par le dortoir) ; 174, 2 : *ista... inuecta potius quam Orientalium perficere adfectamus, quia... efficacius haec... natura uel infirmitas exequitur Gallicana* (considérations sur la règle de Condat).

5. *V. Patr. Iur.* 172, 4-9 : *omni cautela iuxta Patrum regulam seruans, ne se conspectui aduentantium laicorum uel propinquorum saltim iniussus monachus praesentaret. Si quid uero cui(cum)que fuit a proximis fortassis oblatum, confestim hoc abbati aut oeconomo deferens nihil exinde absque paterno praesumpsit imperio* ; ROr 26, 3-5 : *[3]Nec ullus extraneorum patiatur iniuriam, [4]neque habeat cum aliquo de fratribus necessitatem ac facultatem loquendi, absque conscientia abbatis uel seniorum praesentia. [5]Si quid uero cuicumque de fratribus missum mandatumque fuerit, nihil ad ipsum perueniat, priusquam abbati uel senioribus indicetur.*

tion — celle d'entretiens non autorisés par le supérieur — est référée à une « règle des Pères », qui peut être une norme orale remontant aux fondateurs de Condat[6] aussi bien qu'une législation écrite. Au reste, cette première défense se trouve également chez les Quatre Pères[7]. Mais la suivante — celle de recevoir des objets sans autorisation — n'a de parallèle que dans l'Orientale, où elle débute par les mêmes mots (*Si quid uero cuicumque...*), avec deux autres échos dans la suite (*abbati... nihil*). Ce couple de prescriptions semblables, rangées dans le même ordre et exprimées en partie dans les mêmes termes, suggère un contact littéraire entre les deux œuvres.

L'union de Pachôme et   Plus loin, la troisième men-
des Pères de Lérins   tion des « Orientaux » retient de
                     nouveau l'attention. L'énuméra-
tion de ces *Orientalium* va en effet de Basile à Cassien, en passant par les « saints Pères des Lériniens » et l'« antique abbé des Syriens » qu'est Pachôme[8]. La structure de la phrase indique une relation particulière entre les auteurs de Lérins et Pachôme. Considérés comme « Orientaux » eux aussi, rangés dans une période intermédiaire entre le temps lointain de Basile (*quondam*) et l'époque « plus récente » de Cassien, ces « saints Pères des Lériniens » ont bien des chances d'être nos Quatre Pères aux noms égyptiens, à l'œuvre desquels se joint sans doute, comme dans certains de nos manuscrits, la Seconde Règle. D'autre part, leur conjonction spéciale avec Pachôme évoque irrésistiblement la composition de l'Orien-

---

6. Cf. *V. Patr. Iur.* 177, 6 : *accepta ac tradita Patrum instituta.* D'après ce qui précède, ces *Patres* sont Romain et Lupicin.

7. RIVP 2, 37-40.

8. *V. Patr. Iur.* 174, 5-10 : *sic namque quod non illa omnino quae quondam sanctus ac praecipuus Basilius Cappadociae urbis antistes, uel ea quae sancti Lirinensium Patres, sanctus quoque Pachomius Syrorum priscus abbas, siue illa quae recentior uenerabilis edidit Cassianus fastidiosa praesumptione calcamus...*

tale, faite d'un mélange d'extraits de Pachôme et de la Seconde Règle des Pères.

Les Institutions   Enfin la *Vita Patrum Iuren-*
destinées à Agaune   *sium* se termine par l'annonce
                                    d'un autre écrit : des *Instituta*
rédigés par l'Anonyme à l'intention du monastère d'Agaune, sur l'ordre de Marin, abbé de Lérins[9]. Placé par le rédacteur bien au-dessus de la *Vita* elle-même, ce nouvel ouvrage, pour être ainsi vanté par son auteur, ne doit devoir que peu de chose à la « rustique faconde » de celui-ci. Les règles de la modestie et de la bienséance littéraire ne seraient pas sauves s'il en était autrement. Ces « magnifiques » *Instituta* sont donc faits d'emprunts à d'autres ouvrages. Il s'agit d'une compilation impersonnelle, analogue à l'*Orientalis*.

Un autre trait qui rapproche ces *Instituta* de notre règle est leur but didactique plutôt que normatif. Leur auteur − celui de la *Vita* − est probablement un prêtre de Condat[10], mais

---

9. *V. Patr. Iur.* 179, 3-9 : *At si animos uestros, spreta dudum philosophia, rusticana quoque garrulitas exsatiare non quiuerit, instituta quae de informatione monasterii uestri, id est Acaunensis coenobii, sancto Marino presbytero insulae Lirinensis abbate conpellente digessimus, desideria uestra, tam pro institutionis insignibus quam pro iubentis auctoritate, Christo opitulante, luculenter explebunt.* Il s'agit d'une « compilation faite à la demande de Lérins pour Agaune... pour l'information des cénobites d'Agaune », comme l'écrit F. MASAI, « La *Vita patrum iurensium* et les débuts du monachisme à Saint-Maurice d'Agaune », dans *Festschrift B. Bischoff*, Stuttgart 1971, p. 59-60, et non d'un texte décrivant la règle d'Agaune pour l'information de l'abbé de Lérins, comme le disent plus ou moins clairement F. PRINZ, *Frühes Mönchtum*, p. 69-70 ; F. MARTINE, *Vie des Pères du Jura*, p. 51-52, 56 et 234, n. 1 ; K. S. FRANK, *Frühes Mönchtum im Abendland*, t. II, Zurich-Munich, 1975, p. 307, n. 86. Selon l'Anonyme, en effet, ces *Instituta* vont combler les désirs des deux moines d'Agaune. L'œuvre ne peut donc être une simple rédaction de règles qu'ils observent déjà.

10. Voir F. MARTINE, *Vie des Pères du Jura*, p. 50-51. Sans avancer encore aucun nom, F. MASAI, *art. cit.*, p. 57, n. 54, se fait fort de percer l'anonymat de cet auteur, et G. MOYSE, *Les origines du monachisme dans*

rien n'indique qu'il soit abbé de ce monastère[11]. De leur côté, les destinataires ne paraissent pas être des supérieurs : de ces deux moines d'Agaune, l'un, Armentarius, est un reclus[12], l'autre, Jean, un cénobite sans titre particulier[13]. Ainsi, ni par sa provenance, ni par sa destination, l'ouvrage n'est revêtu d'une estampille officielle. C'est un document privé, adressé par un religieux subalterne à d'autres moines sans autorité. Sans doute le premier espère-t-il avoir par là quelque influence sur le monastère d'Agaune dans son ensemble[14]. Sans doute aussi la haute figure de l'abbé de Lérins, qui a commandé l'ouvrage, confère-t-elle à celui-ci un certain prestige. Mais il reste que ces *Instituta* ne sont pas une

---

le *diocèse de Besançon*, Paris 1973 (Bibliothèque de l'École des Chartes 131), p. 24 (44), propose de l'identifier avec Viventiole, moine de Condat devenu évêque de Lyon, qui participa en cette qualité au concile pour la fondation royale d'Agaune en 515. C'est avant cette date qu'a été composée la *Vita Patrum Iurensium*, selon F. MASAI, *art. cit.*, p. 56-62, ses destinataires appartenant à une communauté établie à Agaune avant la fondation du roi Sigismond.

11. Nous ne voyons dans la *Vita* qu'un indice concernant sa prêtrise qu'on pourrait ajouter à ceux qu'a réunis F. Martine : l'exposé détaillé qu'il fait, comme quelqu'un qui en a l'expérience, de la ségrégation imposée aux prêtres par l'abbé Oyend (*V. Patr. Iur.* 151).

12. *V. Patr. Iur.* 2, 10-12. Cette situation n'empêche pas d'être supérieur (cf. *V. Patr. Iur.* 127-128), mais rien n'indique qu'Armentarius, mentionné après Jean, le soit en fait.

13. *V. Patr. Iur.* 2, 5-9. Ce qu'en dit l'Anonyme peut s'entendre d'un moine « préposé à la garde du tombeau de saint Maurice », comme le dit F. Martine (p. 238, n. 3).

14. *V. Patr. Iur.* 179, 4-7 : *instituta quae de informatione monasterii uestri... digessimus,* que F. Martine traduit : « les Institutions que nous avons rédigées touchant la forme de vie de votre propre monastère ». Comme nous l'avons dit plus haut (n. 9), le groupe de mots introduit par *de* nous semble avoir une portée finale, quel que soit le sens précis de *informatio* (formation, instruction, exhortation, information ; voir BLAISE, *Dictionnaire*, s. v.). Quant à *instituta,* voir CASSIEN, *Inst., Praef.* 3 (lignes 31 et 38) ; 8 (118) ; 9 (125), qui désigne ainsi les normes des monastères orientaux et égyptiens qu'il va exposer pour l'instruction des moines gaulois.

législation proprement dite. Leur but n'est pas de régler une communauté, mais de l'instruire[15].

Cette fonction purement « informative » correspond bien au détachement que l'Orientale affecte par son titre même. Comme les *Instituta* compilés à Condat, elle ne prétend livrer que de beaux enseignements venus de loin, sans caractère d'obligation ni portée pratique dans l'immédiat.

Les « parties propres » de l'Orientale et la Vie des Pères du Jura   Il y a donc quelque apparence que les *Instituta* de l'Anonyme jurassien sont notre *Regula Orientalis*. Cependant il n'est pas vraisemblable que les parties propres de celle-ci soient de la même main que la *Vita Patrum Iurensium*. La manière simple et directe de ces directoires d'officiers n'a rien à voir avec le style recherché, voire alambiqué, de l'Anonyme. Le vocabulaire des deux textes présente aussi des différences significatives, aussi bien dans la terminologie monastique[16] que dans les mots usuels[17]. D'ailleurs certaines institutions prônées par la *Vita*, comme la lecture à table et le dortoir commun, sont absentes de l'Orientale ou même exclues par elle[18]. Quant aux quelques expressions communes qu'on relève de part et d'autre[19], s'il ne s'agit pas de simples rencontres fortuites, elles peuvent s'expliquer soit par le fait

---

15. Telle était déjà la visée des *Instituta* de Cassien (note précédente).

16. Comparer *cellararius* (ROr 25, 1) et *oeconomus* (*V. Patr. Iur.* 68, 4 ; 70, 2 ; 75, 7 ; 172, 8).

17. Le verbe *pertinere,* que l'Orientale emploie trois fois (2, 1 ; 2, 4 ; 28, 1), ne figure jamais dans la *Vita*.

18. Sur le contraste cellules/dortoir, voir notre article « La Vie des Pères du Jura... », dans *RAM* 47 (1971), p. 124-125, n. 26-28. La lecture au réfectoire fut instaurée à Condat par Oyend (*V. Patr. Iur.* 169). L'Orientale n'en parle pas et se contente de reproduire les interdictions pachômiennes de la parole à table (ROr 36 ; 38, 1).

19. Comparer *V. Patr. Iur.* 17, 4 (*in corrigendis regendisque ceteris* ; cf. 17, 2) et ROr 1, 1 (*in regendis fratribus*) ; *V. Patr. Iur.* 17, 9 (*formam sese... offerens*) et ROr 1, 3 (*seipsum formam praebens* ; cf. Tt 2, 7).

que l'auteur de la *Vita* a été influencé par les textes recueillis dans la règle, soit au contraire par ses interventions dans la présentation finale de ceux-ci, où il a dû mettre sa marque çà et là[20]. Elles n'impliquent pas que ces textes soient originellement dus à sa plume.

Les « parties propres » de l'Orientale : un emprunt

Ainsi, ce que nous avons appelé jusqu'ici « parties propres » de l'Orientale, c'est-à-dire ses textes non tirés de Pachôme, n'est sans doute pas l'œuvre du rédacteur final — l'auteur de la Vie des Pères du Jura —, mais vient d'une source inconnue. Notre rédacteur — l'Anonyme jurassien — disposait donc de deux ensembles de textes préexistants :

A. Un document contenant une série de directoires pour divers officiers, depuis l'abbé jusqu'aux semainiers (ROr 1-3 ; 25-26 ; 27, 8-29). Ces pièces renferment des réminiscences de la Seconde Règle des Pères[21] et sont donc inséparables des passages qui paraphrasent cette même règle (ROr 22, 2-5 ; 24 ; 30-35). Le document en question incluait ceux-ci. C'était un dérivé de la Seconde Règle.

B. Les quatre recueils de règles pachômiennes traduits par Jérôme, d'où sont tirés les deux florilèges (ROr 4-22, 1 et 23 ; 36-47), avec l'emprunt isolé sur la réception des postulants (ROr 27, 1-7).

Ces deux sortes de textes, le rédacteur de l'Orientale les a juxtaposées par blocs entiers, les florilèges pachômiens commençant l'un et l'autre de façon abrupte (ROr 4, 1 ; 36) et se continuant sans interruption. Les seuls cas d'imbrication se rencontrent au milieu de l'œuvre, où une paraphrase de texte « propre », avec remploi de la Seconde

---

20. Quelle qu'en soit l'explication, c'est un fait curieux que le parallélisme de *V. Patr. Iur.* 171, 2-7 (*Infirmis... aegroti ; in necessitate... propter laborem*) et ROr 25, 8 (*infirmorum... aegrotantium ; necessitatem ac laborem*).

21. Comparer ROr 1, 1.3 et 2RP 3.11 ; ROr 3, 3-4 et 2RP 5.3.

Règle des Pères, sépare les deux derniers articles du premier florilège pachômien (ROr 22, 2-5), tandis que l'emprunt isolé à Pachôme s'intercale au milieu du directoire du portier (ROr 27, 1-7).

Même dans ces cas d'imbrication, les deux couches de textes restent aisément séparables. A première vue, il pourrait sembler que tel texte « propre » (série A) a été rédigé en vue de gloser une phrase prise à Pachôme (série B)[22], ce qui conduirait à l'attribuer au compilateur lui-même. Mais certaines anomalies suggèrent au contraire que celui-ci n'a fait qu'amalgamer des textes déjà existants[23].

Dans cet amalgame, d'ailleurs, l'élément primordial n'est pas le texte pachômien, mais l'autre. L'analyse de l'Orientale que nous avons faite dans la section précédente nous l'a montré : les deux florilèges pachômiens ont été constitués en vue d'illustrer les directoires d'officiers qui les précèdent, de même que l'emprunt sur la réception des postulants a manifestement pour but d'enrichir le directoire du portier.

---

22. Voir ROr 22, 2 (*Missi uero...*), qui paraît gloser PACHÔME, *Praec.* 56, reproduit dans ROr 22, 1 (*Nullus mittatur... solus*). De son côté, ROr 27, 8, qui répète 26, 6, paraît supposer PACHÔME, *Praec.* 49 (27, 1-7).

23. Dans ROr 22, 2, les mots *non singuli... ambulent* ne font que répéter ce que dit Pachôme dans la phrase précédente. Ce doublet suggère qu'il ne s'agit pas d'une glose du rédacteur, mais d'un texte indépendant que celui-ci a simplement accolé à l'interdit pachômien, ce que confirme le parallélisme avec RMac 22, 1 (cf. ci-dessous, n. 42). — Plus loin, la séquence des textes, pris alternativement à Pachôme et à la Seconde Règle, fait problème (cf. ci-dessus, n. 12-13 et 22). Les paraphrases de la Seconde Règle (ROr 22, 4-5 et 24, 1-4), qui paraissent faites pour se suivre, ont été séparées l'une de l'autre et annexées aux prescriptions pachômiennes sur les sorties et les retours — faites pour se suivre elles aussi —, d'une façon qui semble, surtout dans le second cas, très artificielle. — Quant à ROr 27, 8, on peut se demander s'il s'agit de la conclusion primitive du directoire du portier dans le document A, où elle faisait suite à 26, 6 (l'auteur ne craint pas de répéter les mêmes formules, même d'une phrase à l'autre), ou d'une insertion du compilateur, désireux de marquer l'inclusion du texte pachômien (*Praec.* 49 = ROr 27, 1-7) dans ce directoire (le compilateur se sera inspiré de ROr 26, 6).

Logiquement aussi bien que matériellement, c'est donc la série A qui est première dans la rédaction. Comme dans l'énumération des « Orientaux » qu'il a faite à la fin de la *Vita*[24], l'écrivain jurassien, en compilant l'Orientale, a placé d'abord ce qui lui venait de Lérins, puis ce qu'il avait reçu de Pachôme.

**Appartenance
de l'Orientale
à l'Anonyme jurassien**

En puisant alternativement à ses deux sources, notre compilateur a donc constitué une œuvre hybride, qui n'était d'un bout à l'autre qu'un centon. Son propre travail n'a guère consisté qu'à découper les textes et à les réunir, en leur apportant seulement quelques retouches formelles. Celles-ci, à en juger par les emprunts à Pachôme, sont restées fort légères. Dans ces conditions, on comprend qu'il ait pu, à la fin de la *Vita*, présenter ses *Instituta* comme une œuvre de grand prix, sans manquer pour autant à la modestie : tout en les rédigeant lui-même, il en avait pris ailleurs toute la substance.

A ce *confirmatur* de notre hypothèse, tiré de l'origine étrangère des « parties propres » elles-mêmes, on peut en joindre un autre qui résulte de certaines corrections apportées aux textes pachômiens. A trois reprises, l'auteur de l'Orientale a fait disparaître de ceux-ci le verbe *comedere,* terme que la *Vita Patrum Iurensium* n'emploie jamais, et y a substitué *habere, reficere* ou *manducare,* verbes que la *Vita* emploie une ou plusieurs fois[25]. De même, la préposition

---

24. *V. Patr. Iur.* 174, 7-9. Voir note 8.

25. *Comedet* (*Praec.* 114) devient *habeat* (ROr 4, 2 ; cf. *V. Patr. Iur.* 1, 7, etc.) ; *comedant* (*Praec.* 74) devient *reficiant* (ROr 6 ; cf. *V. Patr. Iur.* 131, 3, etc.) ; *comedendum* (*Praec.* 31) devient *manducandum* (ROr 37 ; cf. *V. Patr. Iur.* 70, 4). Seul *comedant* (*Praec.* 35) demeure inchangé dans ROr 38, 2, comme si le compilateur s'était lassé de corriger. Comparer le comportement d'Eugippe, qui finit par recopier, de guerre lasse, un mot du Maître qu'il avait d'abord corrigé (*La Règle du Maître*, t. I, p. 129-130).

excepto du texte de Pachôme est remplacée dans l'Orientale par *absque*[26], mot pour lequel l'auteur de la *Vita* a une préférence marquée, puisqu'il l'utilise 11 fois contre un seul emploi d'*excepto*[27]. L'expression *absque maioris imperio* obtenue par cette correction est elle-même fort semblable à l'*absque paterno imperio* qu'on trouve chez l'auteur jurassien[28].

Origine lérinienne des « parties propres »   A présent, il nous faut considérer plus particulièrement les textes de la série A, c'est-à-dire ceux qui incorporent des emprunts à la Règle des Pères. Après y avoir distingué ce qui venait des Pères et ce qui est indépendant de ceux-ci, nous venons de voir que ces deux éléments sont en réalité inséparables et forment une seule couche de texte homogène, que le compilateur a probablement reproduit tel quel ou peu s'en faut. Galerie de portraits d'officiers, interrompue par des notes sur les sorties et sur l'emploi du temps, suivie d'avis adressés à tous les frères et d'un règlement pénal : tout cela vient d'un même écrit perdu, que nous appelons le « document A » et dont il nous faut à présent tenter de déterminer la provenance.

Par son alliage d'emprunts à la Seconde Règle des Pères et de textes originaux, le document A ressemble à la *Regula Macarii*. Si l'Orientale, prise comme un tout, fait penser à celle-ci, la ressemblance s'affirme à un titre spécial dans cette première composante de l'œuvre, celle qui puise directement à une des sources de Macaire. D'emblée, pareille communauté de source et pareille similitude de structure avec la Règle de Macaire dirigent notre regard vers Lérins.

---

26. Comparer *Praec.* 31 et ROr 37. *Absque* est maintenu dans ROr 4, 2 et 11, 1 (*Praec.* 114 et 118) ; 13, 4 et 17, 28 (*Inst.* 5 et 17) ; 38, 2 (*Praec.* 35). Le mot figure aussi une fois dans le texte propre (ROr 26, 4), lequel ignore *excepto*.

27. *V. Patr. Iur.* 2, 12, etc. (*absque*) ; 131, 4 (*excepto*).

28. *V. Patr. Iur.* 172, 8. Cf. n. 5.

A son tour, l'Anonyme jurassien nous oriente dans cette direction, quand il mentionne dans le même souffle les Pères de Lérins et Pachôme[29]. Cette phrase de la *Vita* s'éclaire déjà lorsqu'on songe que les extraits de la Seconde Règle des Pères — œuvre certainement lérinienne — se mêlent dans l'Orientale à des fragments pachômiens. Mais elle devient plus parlante encore si l'on admet que le document de base contenant ces extraits des Pères est lui-même en son entier un texte élaboré à Lérins. De la sorte, l'Orientale répond exactement à la formule *sancti Lirinensium Patres, sanctus quoque Pachomius* de l'Anonyme.

L'origine lérinienne du document rendrait compte aussi d'un fait que nous avons observé en analysant l'Orientale : la connaissance intime et familière de la Seconde Règle que supposent les citations et réminiscences de celle-ci. Pour être utilisé avec tant de liberté et d'aisance, le texte des Pères devait être présent à l'esprit du rédacteur de la même façon que la Bible elle-même. S'agissant d'un texte lérinien, une telle familiarité ne se comprend nulle part aussi bien qu'à Lérins.

Autres hypothèses : Lyon, Condat, Grigny, Vienne   Ces divers indices nous paraissent assez forts pour recommander l'hypothèse d'une provenance lérinienne, à l'encontre d'autres conjectures que pourrait faire naître la *Vita*. Aux origines de Condat, celle-ci parle d'une influence subie par le fondateur, celle de l'abbé lyonnais Sabinus, dont Romain admira les *instituta* et obtint les premiers éléments de sa bibliothèque monastique : un *Liber Vitae sanctorum Patrum*, des *Institutiones Abbatum*[30]. Mais il n'est plus

---

29. *V. Patr. Iur.* 174, 7-9 (n. 8). Même si le document A est un écrit lérinien de date récente, œuvre d'un auteur que l'Anonyme connaît bien (nous verrons qu'il s'agit probablement de l'abbé Marin), ses emprunts à la Seconde Règle des Pères, elle-même annexée à la Règle des Quatre Pères, permettent de le considérer comme « oriental » en un sens large.

30. *V. Patr. Iur.* 11.

question de ce personnage dans le reste de la *Vita*, notamment dans la liste des autorités « orientales » qui comprennent les Lériniens et Pachôme.

On pourrait encore songer à l'abbé Lupicin, homme de gouvernement dont on ne serait pas surpris d'apprendre qu'il a tracé les directoires nets et énergiques de notre document. Mais Lupicin a vécu un peu trop tôt pour qu'on lui attribue un texte si proche des œuvres du VIe siècle que sont les règles de Césaire, du Maître et de Benoît. Quant aux abbés qui succédèrent, à Condat et à Laucone, aux deux frères fondateurs, nous n'en savons pas assez sur leur compte pour leur attribuer quoi que ce soit. D'ailleurs − et ces remarques valent aussi pour un autre candidat éventuel, l'abbé Oyend −, l'origine jurassienne du document ne méritait-elle pas d'être mentionnée par l'Anonyme dans la présentation de ses *Instituta* ? Est-elle compatible avec le titre d'*Orientalis* porté par notre règle ?[31]

Éliminons encore, et de nouveau pour cause de carence documentaire, le monastère de Grigny, dont Sidoine Apollinaire appréciait les *statuta* à l'égal de ceux de Lérins et qui allait prendre une part si importante à la fondation royale d'Agaune[32]. Même si nous étions mieux renseignés sur sa règle, le silence de la *Vita* à son sujet resterait une contre-indication majeure. Quant à l'abbé-reclus Léonien d'Autun et de Vienne, mentionné élogieusement par la *Vita*[33], l'Anonyme ne nous dit rien d'une œuvre législative − ou même simplement écrite − émanant de lui.

---

31. L'Anonyme vient en effet, non seulement de raconter la Vie des Pères du Jura, mais aussi de vanter leur règle, en opposant celle-ci aux normes des « Orientaux » (*V. Patr. Iur.* 174).

32. SIDOINE APOLLINAIRE, *Ep.* 7, 17, 3 : *secundum statuta Lirinensium Patrum uel Grinnicensium* (texte datant de 477). Hymnemode, abbé de Grigny, devint le premier abbé d'Agaune en 515, et son disciple Achivus de Grigny en fut le troisième. Une des *turmae* qui assuraient la *laus perennis* était constituée par les moines de Grigny (*norma Granensis*). Voir J.-M. THEURILLAT, *L'Abbaye Saint-Maurice d'Agaune*, Sion 1954, p. 34-35 et 77-78.

33. *V. Patr. Iur.* 127-128.

L'auteur des   L'hypothèse lérinienne reste
« parties propres » :   donc sans rivale. Vraisemblable-
Marin, abbé de Lérins ? ment, c'est à Lérins qu'a été
                           rédigé le document A. Mais
quand et par qui ? A considérer le texte, on est frappé de son
style dépouillé, qui ne craint pas de répéter mots et tournures,
de sa manière simple et directe, de son accent d'autorité.
Cette absence de recherche littéraire, jointe à la précision, à
la hauteur de vues, à la visée pratique du document, fait
penser à un homme responsable, autrement dit à un supérieur
en charge.

A la vue de cette silhouette d'abbé, un nom vient à
l'esprit : celui de Marin, prêtre et abbé de Lérins, mentionné
par l'Anonyme à la fin de la *Vita*[34]. C'est ce personnage qui
lui a fait un devoir de rédiger des *Instituta* pour le monastère
d'Agaune. Ne serait-ce pas de lui qu'il tient un de ses deux
textes de base ? En prenant à ce document près de la moitié
de sa compilation, l'auteur jurassien assortirait son obéissance déclarée envers Marin d'un hommage tacite à l'œuvre
législative de cet abbé. Il a écrit ses *Instituta* pour lui
complaire. N'est-il pas naturel qu'il lui fasse cet autre plaisir
de le citer ?

De ce Marin, nous ne savons rien[35], sinon qu'il était en
charge vers 515, ce qui en fait un successeur, probablement

---

34. *V. Patr. Iur.* 179, 6-7 (n. 9).

35. On a proposé de l'identifier avec l'abbé Marin dont EUGIPPE,
Excerpta, Praef., PL 62, 559 d, dit qu'il l'a exhorté à composer son grand
florilège augustinien (*cohortante domino meo Marino abbate uel caeteris
sanctis fratribus*). Voir F. PRINZ, *Frühes Mönchtum*, p. 332, n. 34
(confond *Vita Eugendi* et *Instituta* d'Agaune) ; F. LOTTER, *Severinus von
Noricum*, Stuttgart 1976 (*Monographien zur Geschichte des Mittelalters*
12), p. 33 (même confusion), dont les arguments, liés à l'hypothèse d'un
séjour d'Eugippe à Lérins, ne sont guère convaincants. Pourquoi le Marin
dont parle Eugippe ne serait-il pas un abbé napolitain ? Dans sa *Vita
Seuerini* 46, 5, il mentionne *Marinus quoque primicerius cantorum
sanctae ecclesiae Neapolitanae*, qui semble être prêtre. Même si l'on ne
veut pas que ce personnage ait été simultanément ou ultérieurement

immédiat, de l'abbé Porcaire. On se représente volontiers ce supérieur reprenant sur un mode nouveau l'œuvre de son prédécesseur. De la Règle des Pères, Porcaire n'avait reproduit littéralement que la deuxième partie, en l'enrobant dans des recommandations de pure spiritualité inspirées par Jérôme. Marin — si c'est bien lui — aura repris la vieille règle de la maison dans un esprit tout différent. Par son souci dominant de vie commune et d'organisation efficace, il retrouve le propos fondamental des Pères. Au lieu de reproduire quasi mécaniquement un morceau de leur législation — signe de paresse et de moindre intérêt pour cet aspect des choses[36] —, il remploie leur texte avec une extrême souplesse, dans une rédaction personnelle qui atteste son goût de légiférer par lui-même. Il insiste sur l'obéissance de tous aux anciens et, comme le fera Benoît, développe beaucoup le code pénal. Quant à la vie spirituelle des individus, il ne semble guère s'y intéresser, pas plus qu'il ne se soucie de fonder ses directives sur des *testimonia* scripturaires. Peut-être estime-t-il qu'Écriture et spiritualité ont déjà reçu leur part dans les écrits de ses prédécesseurs. Pour lui, c'est de faire fonctionner la communauté qu'il s'agit.

Au reste, il ne faut pas oublier que l'Orientale ne conserve probablement qu'une partie de ce document A, comme de la Règle pachômienne. De cette dernière, le rédacteur a retenu un peu moins du quart[37]. Du document A, reproduit-il beaucoup plus[38] ? La question doit rester présente à l'esprit

---

« abbé » à Naples, son homonymie avec l'*abbas* nommé dans les *Excerpta* montre du moins que le nom de Marin était assez commun et qu'il n'est guère besoin d'aller jusqu'à Lérins pour trouver un abbé de ce nom.

36. Sur l'interprétation de ce fait ambigu, voir *La Règle de saint Benoît*, t. I, p. 206-207.

37. Soit 22 % (200 lignes de l'édition Boon sur environ 900).

38. Si l'Orientale a conservé la même proportion du texte A et du texte B, le document A, qui entre dans ROr, pour 45 %, devait être un peu moins long que la Règle pachômienne, mais beaucoup plus que les Règles des Pères.

toutes les fois qu'on s'étonne de ne pas trouver dans l'Orientale de précision sur des points aussi importants que la formation des novices et les délais d'admission qui leur sont imposés. Il est bien possible que le document A ait parlé de ces choses dans des passages que le compilateur de notre règle a omis.

Compte tenu de cette réserve capitale, nous pouvons nous féliciter d'avoir probablement, dans le document A, un témoin de la règle de Lérins sous l'abbé Marin, c'est-à-dire peu après le séjour de Césaire d'Arles au grand monastère insulaire, dans les premières décennies du VIᵉ siècle[39]. On pourrait s'étonner que Marin prescrive de prolonger le temps de lecture jusqu'à tierce[40], alors que son prédécesseur Porcaire — si c'est bien lui l'auteur de la *Regula Macarii* — l'arrêtait dès la deuxième heure. Mais la même oscillation entre *secunda* et *tertia* s'observe dans les écrits de Césaire, dont la Règle des moines revient pareillement à la norme ancienne et plus exigeante de la troisième heure, mitigée auparavant par la Règle des vierges[41]. Ce parallèle arlésien rend l'évolution que nous conjecturons à Lérins tout à fait vraisemblable. En somme, il s'y sera produit un fléchissement passager de la discipline de la *lectio*, attesté par la Règle de Macaire, et l'on sera revenu ensuite à l'usage primitif.

Sur d'autres points, au contraire, notre document A répète Macaire, et cela aussi se comprendrait bien de la part de son successeur, Marin. L'un et l'autre veut que les sorties se fassent « à deux ou trois » et montre à ce sujet les mêmes

---

39. Entre l'ordination sacerdotale de Césaire en 499 ou peu avant, au temps de l'abbé Porcaire (*V. Caesarii* 1, 10), et les lettres de Grégoire aux abbés Étienne (*Reg.* 6, 54 = *Ep.* 6, 56) et Conon (*Reg.* 11, 9 = *Ep.* 11, 12), que sait-on des abbés de Lérins ? Les dates de l'abbatiat de Marin sont impossibles à préciser, le catalogue abbatial cité par MABILLON, *Annales OSB*, t. I, p. 176-177 (a. 588), ne méritant aucune confiance.

40. ROr 24, 1-3. Cf. RMac 10, 1 (*secundam*).

41. CÉSAIRE, *Reg. uirg.* 19-20 et 69 (*secundam*) ; *Reg. mon.* 14 (*tertiam*). C'est aussi tierce qui est mentionnée dans l'*Ep. II ad uirg.*, PL 67, 1132 d, qui dépend de PÉLAGE, *Ep. ad Demetr.* 23.

préoccupations de sécurité[42]. L'un et l'autre aussi unit le jeûne à l'excommunication[43] et évoque en termes presque identiques la réconciliation publique du pénitent[44].

L'identification des « Instituta » et de l'Orientale : trois difficultés

C'est donc la dernière édition de la règle de Lérins que l'Anonyme jurassien semble avoir mise à contribution dans ses *Instituta* destinés à Agaune. Connaissant par ailleurs la Règle des Quatre Pères et la Seconde Règle, il n'aura pas manqué de reconnaître au passage les fragments de cette dernière incorporés dans le document A. On peut expliquer par là un fait que nous avons déjà relevé dans le chapitre précédent : quand il commence son second florilège pachômien par des prescriptions relatives à la table, le compilateur de l'Orientale paraît suivre une séquence suggérée par la Seconde Règle[45].

Un autre fait qui requiert une explication est la différence entre le titre d'*Instituta* que l'Anonyme donne à son travail et celui de *Regula* que porte l'Orientale. Il n'y aurait là une difficulté sérieuse que si les deux termes avaient des sens nettement distincts. En fait, au contraire, ils sont à peu près synonymes, et l'auteur de la *Vita* les emploie l'un pour l'autre en parlant de la règle de Condat[46]. Pourquoi n'aurait-il pas fait de même en parlant de celle d'Agaune[47] ?

---

42. ROr 22, 2-3 et RMac 22, 1-3 : *bini uel terni.*

43. ROr 32, 4 : *excommunicetur et non manducet quicquam* ; RMac 26, 2 : *ab oratione suspendatur et ieiuniis distringatur.*

44. ROr 32, 10 : *et ueniam... omnibus praesentibus petierit* ; RMac 26, 3 : *Quod si coram omnibus fratribus prostratus ueniam petierit.*

45. Voir ci-dessus, chap. I, p. 425 (après l'appel de note 24) : ROr 36-38 (= *Praec.* 31-33) paraît suggéré par 2RP 46 (cf. chap. I, n. 5).

46. Comparer *Patrum regula* (*V. Patr. Iur.* 4, 2 ; 59, 8 ; 172, 4) et *Patrum instituta* (*V. Patr. Iur.* 177, 7 ; cf. 32, 9). Cf. CASSIEN, *Inst., Praef.* 7 : *instituta eorum (seniorum)... ac monasteriorum regulas* ; 9 : *secundum Aegyptiorum regulam... institutis monasteriorum quae per Palestinam uel Mesopotamiam habentur.*

47. Il ne faut d'ailleurs pas oublier que notre unique témoin de la

Enfin l'on ne peut passer sous silence le petit problème que pose l'article de l'Orientale, emprunté à Pachôme, où il est question de « délier un câble de terre[48] ». Nous en avons induit plus haut que le monastère auquel la règle était destinée se trouvait probablement au bord d'une rivière que l'on pouvait traverser en barque, tout en relevant que l'omission des textes pachômiens parlant de voyages en bateau suggérait l'absence de toute navigation importante sur ce cours d'eau. Cet état de choses est-il en harmonie avec la situation d'Agaune ? D'après les informations que nous avons recueillies, le Rhône n'y est guère navigable actuellement. L'était-il alors, au moins assez pour permettre sa traversée sur un esquif très léger ou même un simple flottage ? Nous laissons cette question aux connaisseurs locaux. De toute façon, l'indication de l'Orientale est trop peu explicite, le sens du texte trop peu clair, la visée de l'auteur trop incertaine[49] pour que notre hypothèse rencontre là une objection grave.

Conclusion

Il est donc possible, voire probable, que notre *Regula Orientalis* s'identifie avec les *Instituta* composés vers 515 au monastère de Condat pour celui d'Agaune[50]. A cette date, il reste un temps suffisant, bien que très court, pour que le texte parvienne en Italie et inspire certains traits de la Règle du Maître, avant d'influencer celle de Benoît. Mais il n'est pas nécessaire d'imaginer cette diffusion rapide de l'Orientale

---

Regula Orientalis est Benoît d'Aniane, dont les préoccupations d'éditeur d'un recueil de *regulae* ont pu influer sur le titre donné à l'Orientale.

48. ROr 11, 1 = *Praec.* 118. Voir ci-dessus, chap. I, n. 21.

49. Que savait-il au juste des conditions locales d'Agaune ? Connaissait-il les lieux *de visu* ? En tout cas, d'ailleurs, l'Orientale n'est pas une règle à portée pratique immédiate.

50. Ces *Instituta* sont contemporains de la *Vita Patrum Iurensium* ou légèrement postérieurs, et la *Vita* est datée de 520 environ par F. Martine, d'un peu avant 515 par F. Masai.

vers le midi. Le document A, qui lui est antérieur, a eu plus de loisir pour circuler, et s'il est bien l'œuvre de Marin, abbé de Lérins, son origine plus prestigieuse le qualifiait mieux pour un tel rayonnement.

Si incertaines qu'elles soient, ces traces de l'Orientale — ou mieux de sa source perdue, le document A — sont les seules dont on puisse faire état. Quant à celles qu'on a cru découvrir dans les Annales de Trèves, où elle aurait régi à ses débuts le monastère de Saint Maximin[51], et à ses contacts

---

51. Le dernier des *testimonia* produits par Holste (*PL* 103, 475-476) est une citation des *Annales Trevirenses*, faite d'après une *Apologia monasterii sancti Maximini*, où l'on lirait ces mots : *Erecta fuit ibidem religio Christiana monastica sub Regula Orientalium Monachorum*. Malgré Holste, que Brockie répète dans son *Observatio critica* (*PL* 103, 477-478), cette « règle des moines orientaux » n'a sans doute rien à voir avec la *Regula Orientalis* de Benoît d'Aniane, comme nous avons pu nous en assurer grâce au P. Petrus Becker. Le renseignement de Holste vient en effet des *Annales Treuirenses,* chronique manuscrite datée de l'an 1300, que reproduit N. ZYLLESIUS, *Defensio abbatiae imperialis Sancti Maximini*, Trèves 1638, p. 53. Cette *Defensio* est certainement l'*Apologia* que cite Holste, car la citation de celui-ci correspond exactement à la référence (II, 1) et aux termes de Zyllesius. Ce dernier cite ensuite J. ENEN, *Epitome alias medulla Gestorum Treuirorum*, Trèves 1517, chap. V, fol. XVII, où la même donnée (*sub regula orientalium monachorum*) est enrobée dans un contexte qui en éclaire la portée. Il s'agit d'une expression vague, se rapportant au fait qu'à la fondation mythique du monastère de S. Maximin (en 333, sous Constantin), les moines furent placés sous l'autorité d'un certain moine Jean d'Antioche, venu à Trèves en compagnie du patriarche Agricius et institué abbé par celui-ci. Ni les Annales, ni Enen, ni Zyllesius ne paraissent songer à un texte de règle déterminé qui porterait ce titre de *Regula orientalium monachorum*. C'est Holste qui a rapproché la phrase des Annales du titre qu'il lisait dans le *Codex Regularum*. Quoi qu'il en soit de l'histoire d'Agricius et de Jean, ce rapprochement de Holste est en tout cas sans valeur. — Quant à l'ouvrage de Chr. Brower qu'il cite également, il s'agit de l'*Antiquitas annalium Trevirensium et episcoporum Trevirensis ecclesiae*, Cologne 1626, que nous citons d'après la deuxième édition : Chr. BROVERUS — J. MASENIUS, *Antiquitatum et annalium Trevirensium libri XXV*, Liège 1670, Livre VII, p. 350 (a. 643). Ces auteurs disent avoir trouvé dans un privilège de Dagobert pour l'abbé Memilianus la même histoire de la fondation de

supposés avec d'autres dérivés de la Règle pachômienne comme la *Regula breuis* et la *Tarnantensis*[52], l'examen des faits montre qu'on n'en peut rien retenir. En définitive, cette petite règle composite reste dans l'isolement décrit au début de cette enquête, une situation dont les circonstances de sa rédaction, telles que nous avons été conduit à nous les représenter, paraissent fournir l'explication la plus vraisemblable.

S. Maximin sous Constantin : grâce à Hélène, mère de l'empereur, *aggregatos eundem in locum Orientali disciplinâ monachos*, auxquels l'évêque Agricius donna pour supérieur son compagnon Jean d'Antioche. Plus vague que *regula*, ce *disciplina* confirme notre interprétation : il ne s'agit pas d'un texte écrit, mais d'une simple façon de vivre, qui n'a rien à voir avec notre *Regula Orientalis*.

52. Voir C. DE CLERCQ, « L'influence de la Règle de saint Pachôme en Occident », dans *Mélanges L. Halphen*, Paris 1951, p. 169-176 (voir p. 172-176). La recension brève de Pachôme et l'Orientale sont deux compilations tout à fait indépendantes, et la « coïncidence » globale relevée par C. de Clercq est sans portée. Quant à la *Tarnantensis*, ses contacts avec l'Orientale sont eux aussi peu significatifs ou viennent de ce qu'elles utilisent l'une et l'autre la Seconde Règle des Pères, fait qui a échappé à C. de Clercq.

CHAPITRE III

Établissement du texte et présentation

L'extrême pauvreté de la tradition manuscrite de l'Orientale nous a incité à relever non seulement ses moindres indications, mais encore les différences des éditions imprimées. Cette comparaison à peu près exhaustive[1] pourra servir de spécimen. D'après l'exemple de l'Orientale, on se fera une idée de la transmission des autres règles, dont l'apparat critique, habituellement bien plus chargé, ne souffrirait pas qu'on entre dans tous ces détails.

Manuscrits complets — Le seul témoin complet de l'Orientale que nous connaissions est le *Codex regularum* de Benoît d'Aniane (Munich, *Clm 28118* : sigle *A*), avec sa copie de Cologne[2] (Arch., *W. F. 231* : sigle *K*). Il contient au moins une lacune importante, par saut du même au même[3].

La « Concordia regularum » — Composée à l'aide du *Codex,* la *Concordia* de Benoît d'Aniane (*Co*), dont le meilleur témoin est le manuscrit d'Orléans *233* (*F*), renferme

---

1. Comme nous le dirons plus loin, il n'y manque qu'un détail : l'édition de Ménard, entre le ms. de la *Concordia* et l'édition de Migne (*PL* 103, 713-1380).

2. L'autre copie (Utrecht, Bibl. Univ., *361*) s'arrête à la Règle de Basile (H. PLENKERS, *Untersuchungen*, p. 11).

3. Voir ROr 15-16. Cf. 27, 6.

21 citations de l'Orientale, réparties dans 16 chapitres. Notre règle y est appelée tantôt *Regula Orientalis* (15 fois), tantôt *Regula Orientalium* (§§ 5, 20 ; 47, 12 ; 51, 5-6 ; 74, 7-8). Voici le relevé de ces citations[4] :

Reg. Orientalis	Concordia reg.	Reg. Orientalis	Concordia reg.
1, 2-9	5,20	27	65, 25
2	28,6	29	27, 9
3-5	27,7	30-31	42, 19
9	61,13	32	30, 14
12	51,6	33	74, 7
13	75,4	35	37, 10
14	6,8	36-39	47, 12
17	27,8	40-43	71, 2
22-23	72,21	44	51, 5
25	40,9	47	74, 8
26	71,6		

Au total, 31 chapitres de l'Orientale (sur 47) sont reproduits dans la *Concordia*. Le texte de celle-ci, ici comme ailleurs[5], est moins bon que celui du *Codex*. Cependant, puisque notre ms. *A* n'est qu'une copie, si ancienne soit-elle, de l'original du *Codex,* la *Concordia,* qui dépend directement de celui-ci, peut servir à contrôler les leçons de *A*[6].

Les éditions imprimées   Après la *Concordia,* éditée en 1638 par H. Ménard que reproduira Migne (*m*), le *Codex* l'a été pour la première fois à Rome en 1661, d'après les papiers de L. Holste (*h¹*). Celui-ci s'était servi d'une copie du manuscrit de Cologne faite à l'in-

---

4. Sauf la première citation, à laquelle manque la phrase initiale (ROr 1, 1), les chapitres de l'Orientale reproduits par la *Concordia* sont complets.

5. Voir *La Règle du Maître,* t. I (*SC* 105), p. 235-243.

6. C'est ainsi qu'en ROr 35, *F* permet de corriger *uel* (*A*) en *ueluti.*

tention du Cardinal Chigi, le futur Alexandre VII (K'). Deux intermédiaires séparent donc son texte du manuscrit A, qui en est la source ultime. Outre les fautes qui ont pu s'introduire dans son édition du fait de ceux-ci, Holste s'est permis de corriger çà et là, notamment pour suivre les suggestions faites par Ménard dans les notes de sa *Concordia* (m^*).

La seconde édition du *Codex* (h^2), publiée à Paris en 1663, comporte quelques fautes nouvelles. C'est elle que reproduit l'édition préparée par M. Brockie, qui parut sous son nom à Augsbourg en 1759 (a) et qu'on trouve dans les tomes 50 et 103 de la Patrologie Latine de Migne (c^1 et c^2).

Au contraire, c'est à la première édition de Holste que A. Galland prit son texte de l'Orientale (g), publié avec les Règles des Pères en appendice de son édition des œuvres de Macaire[7]. Reproduisant cette édition de Galland, le tome 34 de la Patrologie Grecque de Migne (k) donne un texte un peu plus pur que celui de la Patrologie Latine.

Cette histoire peut se résumer dans le tableau suivant :

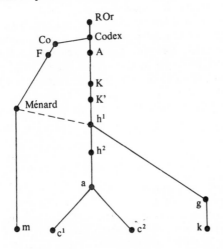

---

7. A. GALLAND, *Bibliotheca Veterum Patrum*, t. VII, Venise 1770, p. 249-251.

Notre texte   Comme celui de notre édition
et notre apparat   provisoire, parue il y a cinq
                               ans[8], le texte que nous éditons à
présent suit d'aussi près que possible le manuscrit *A*.
L'apparat donne intégralement les variantes de celui-ci,
même orthographiques. Il indique en outre les variantes
textuelles de *K*, de la *Concordia* (*F* et *m*) et des éditions
successives du *Codex* (h^1gk et h^2ac). Pour ces textes
imprimés, il n'a pas semblé utile de noter les différences
d'orthographe. Quant aux manuscrits *K* et *F*, nous ne
relevons ordinairement leurs variantes orthographiques que
quand celles de *A* nous en donnent l'occasion.

L'apparat est généralement négatif, mais les notes spora-
diques de Ménard (*m**) obligent parfois à le présenter sous
forme positive. Nous n'y enregistrons pas l'addition fantai-
siste, mentionnant le diacre Vigile, que Holste et ses épigones
ont apportée au titre de l'Orientale[9].

Dans notre première édition, l'apparat ne prenait en
considération ni le manuscrit de Cologne, dont dépend
Holste, ni celui d'Orléans, où Ménard prit son texte de la
Concordia. Sur ces deux points, nous avons complété notre
premier travail. Le seul témoin qui fasse défaut ici est
l'édition originelle de la *Concordia* (Paris, 1638), que nous
n'avons pu collationner avec la reproduction de Migne. Sans
·doute celle collation ferait-elle apparaître quelques fautes
propres à Migne, dont Ménard n'est pas responsable.

---

8. A. de Vogüé, « La *Regula Orientalis*. Texte critique et synopse des
sources », dans *Benedictina* 23 (1976), p. 241-272. Les principaux *errata*
ont été signalés dans *Benedictina* 25 (1978), p. 219, n. 1, et dans *Rev.
Bénéd.* 89 (1979), p. 218, n. 3.

9. (*Regula Orientalis*) *ex Patrum Orientalium regulis collecta a Vigilio
diacono*. Les mots *ex Patrum* font défaut dans *PL* 103, 475-476. Quant à
PL 50, 373-374, on y a mis rondement : *Vigilii diaconi Regula monachorum, quae uulgo dicitur Regula Orientalis*. Sur cette attribution à
Vigile, voir notre article « La Règle de Vigile signalée par Gennade. Essai
d'identification », dans *Rev. Bénéd.* 89 (1979), p. 217-229 (p. 218).

Les divisions   Ni dans *A* ni dans *K*, on ne
du texte   trouve aucune division en
chapitres ou paragraphes.
Ceux-ci ont été découpés et numérotés par Holste, semble-t-
il. A ce découpage reçu, nous avons ajouté une subdivision
en « versets », à l'instar de celle qui prévaut dans les éditions
récentes de la Règle bénédictine et de ses semblables. En
quelques cas, nous avons légèrement modifié les coupures de
Holste[10] et de notre première édition[11].

Références aux sources   Dans celle-ci, nous avions
et annotation   disposé en colonnes parallèles
les textes de l'Orientale et de ses
deux sources. Renonçant ici à reproduire ces dernières, nous
nous contentons d'imprimer en italiques les passages de
l'Orientale qui y correspondent, en renvoyant, pour une vue
synoptique, au tableau initial du chapitre précédent. D'autre
part, au lieu de ne mettre en italiques que ce qui se retrouve
dans les textes critiques de Pachôme et des Pères établis par
Boon[12] et par Neufville, nous imprimons aussi dans ce corps
toute leçon attestée par la tradition manuscrite des textes-
sources et relevée dans les apparats des deux éditeurs. On
peut en effet présumer, bien que ce ne soit pas toujours
certain[13], que le rédacteur de l'Orientale a trouvé ces leçons
dans le modèle qu'il reproduisait.

Par suite de ces changements, nous pouvons nous
dispenser ici de signaler en note les mss de Pachôme et des
Pères où se lisent les variantes reproduites par notre règle.

---

10. Les mots *in monasterio* passent de 2, 1 à 1, 9 (cf. *AK*).

11. ROr 13, 1-2 ; 21, 3-4 ; 25, 5-6 (contre *AKFm*) ; 27, 5-6.

12. A. Boon, *Pachomiana Latina*, Louvain 1932.

13. Voir notre article « La *Regula Orientalis* », p. 249 et n. 24.

Pour l'identification de ces mss, on voudra bien se reporter à notre première édition[14]. D'autre part, quand les allusions de l'Orientale à la Seconde Règle des Pères sont trop ténues pour figurer en italiques, nous les relevons seulement dans les notes.

14. En 22, 4, l'omission de *debet* est à joindre à la leçon *obseruantes* (mss *TA* de 2RP).

SIGLES

A	Munich, Staatsbibl., *Clm 28118*, fol. 136ᵛ-139ʳ
*A*²	Corrections d'A. Losen dans *A*
Co	BENOÎT D'ANIANE, *Concordia regularum (F* et *m)*
F	Orléans, Bibl. Mun., *233, passim*
K	Cologne, Arch., *W. F. 231*, fol. 120ʳ-122ᵛ.
a	M. BROCKIE, *L. Holstenii... Codex regularum,* Augsbourg 1759, p. 61-64
*c*¹	MIGNE, *PL* 50, 373-380
*c*²	MIGNE, *PL* 103, 477-484
g	A. GALLAND, *Bibliotheca Veterum Patrum*, t. VII, Venise 1770, p. 249-251
*h*¹	L. HOLSTENIUS, *Codex regularum monasticarum et canonicarum*, t. I, Rome 1661, p. 157 (cf. p. 281 : *Errata correcta)*
*h*²	L. HOLSTENIUS, *Codex regularum monasticarum et canonicarum*, Paris 1663, p. 89
k	MIGNE, *PG* 34, 983-990
m	H. MÉNARD, *S. Benedicti Anianensis Concordia regularum*, Paris 1638, d'après MIGNE, *PL* 103, 713-1380
*m**	Corrections proposées dans les notes de *m*.

INCIPIT REGVLA ORIENTALIS

1. *Vt neque* seniores in regendis fratribus inaniter *labor*ent, *neque* disciplina iuniorum uacillet, quae abbatis conuersatione stabilita firma sit, ²*oportet* abbatem *inreprehensibilem esse*, seuerum, patientem, ieiunum, pium, humilem, ³ut *doctor*is et patris locum impleat, se*ipsum formam praebens bonorum operum.* ⁴Ad cuius ordinationem omnes fratres respiciant, nihil sine consilio et auctoritate ipsius facientes.

⁵Qui sustinens monasterii necessitates, de omnibus quae in monasterio sunt libere iudicabit, ⁶nullius personam accipiens nec ulli gratiam praestans, ⁷sed unumquemque secundum merita cotidianae conuersationis in ueritate iudicans admoneat, hortet, castiget, condemnet ; ⁸uel suscipiat, si ita utile uidetur, uenientes ad monasterium, ⁹uel eiciat, si ita necessitas fuerit, male habitantes in monasterio.

---

1 (*Co* 5, 20), 1 *tot. om. Co* ‖ 2 seuerum *om. m* ‖ ieiunum : ieiunium *F* ᵃᶜ*m* ‖ 3 formam : in *praem. m* ‖ prebens *AKF* ‖ 5 necessitatem monasterii *Fm* ‖ 7 hortet *A* *ut uid.* : hortetur *A²Khacgk Fm* ‖ 9 in monasterio *cap. sequenti coni. Fmhacgk*

1, 1 2RP 3 ‖ 2-3 1 Tm 3, 2 ‖ 3 Tt 2, 7 ‖ 4 Cf. 2RP 10.

1, 1. *Seniores... iuniorum* : cf. *Reg. Pauli et Steph.* 2-3. *Firma* fait penser à RIVP 1, 3, etc. L'abbé joue ici le rôle attribué à la règle dans 2RP 3.

2. *Seuerum... pium* : voir *V. Patr. Iur.* 17 (Lupicin et Romain).

3. Cf. RIVP 2, 3 ; Eugippe, *Reg.* 26, 43. *Formam* (Tt 2, 7), attesté par Lucifer et Jérôme (cf. *V. Patr. Iur.* 17), est plus rare qu'*exemplum*

RÈGLE ORIENTALE

1. Pour éviter que les anciens ne peinent en vain à gouverner les frères et que ne se produise parmi les jeunes un fléchissement de la régularité, celle-ci trouvant son plus ferme appui dans le comportement religieux de l'abbé, [2]il faut que l'abbé soit irréprochable, sévère, patient, adonné au jeûne, bon, humble, [3]afin de jouer son rôle de docteur et de père en se faisant l'exemple de toutes les bonnes œuvres. [4]Tous les frères seront sous sa coupe ; ils ne feront rien sans son avis et son autorisation.

[5]Subvenant aux besoins du monastère, il aura une entière liberté de jugement sur tout ce qui se trouve au monastère ; [6]il l'exercera sans parti pris à l'égard de personne ni favoritisme pour quiconque ; [7]c'est dans la vérité qu'il jugera chacun comme le mérite sa conduite quotidienne et qu'il distribuera avertissements, exhortations, châtiments, condamnations, [8]admettant, si cela semble opportun, ceux qui viennent au monastère, [9]et expulsant, si besoin est, ceux qui ne sont pas dignes de demeurer au monastère.

(HORSIÈSE, *Lib.* 9 ; AUGUSTIN, *Praec.* 7, 3, etc.). Participe (*praebens*) comme en grec.

4. Cf. Arles (449-461), p. 134, 31-32 : *clerici ad ordinationem episcopi debita subiectione respiciant.* Fin comme en 31, 1.

5. Cf. Arles (449-461), p. 134, 33-34 : *congregatio ad solam et liberam abbatis... ordinationem... pertineat.*

6. Cf. 3, 3 ; RIVP 5, 11 ; *RM* 2, 16-19 ; *RB* 2, 16-20.

7. *Iudicans* répète *iudicabit* (6). Cf. 17, 28 (*in ueritate iudicans*). *Secundum merita* : *RB* 2, 22.

8. Voir 27, 2.

9. Cf. 35, où l'abbé n'est pas mentionné.

2. Seniores sint duo, ad quos uel praesente abbate uel absente omnium fratrum disciplina et omnis cura monasterii pertineat, [2]dantibus sibi uices per dies et diuidentibus inter se pondus ac necessitatem monasterii.

[3]Ex quibus unus tempore suo praesens in monasterio semper erit ad praestandum abbati solatium uel obsequium aduenientibus fratribus, [4]et ad procedendum ubi necessitas exegerit atque diligentiam circa omnia quae ad cotidianam custodiam et conuersationem monasterii pertinent adhibendam, [5]ut quaecumque ad obsequium usumque monasterii facienda sunt sine neglegentia et querela faciant.

[6]Alius cum fratribus erit tempore suo, exiturus cum ipsis ad omnia opera et omnem necessitatem, prouidens ne quid contra disciplinam faciant. [7]Qui considerans omnes actus singulorum, si qua contra rationem facta uiderit, uel per se emendet, uel abbati indicet.

3. Ille uero qui secundum ordinem disciplinae ordinatione abbatis ex consilio et uoluntate omnium fratrum fratribus praepositus est, omnem ad se curam de disciplina fratrum et

---

2 (*Co* 28, 6), 1 in monasterio *praem. Fmhacgk* ‖ 2 dantibus : dantes *Fmhacgk* ‖ diuidentibus : unus *add. AKF*[ac] unum *add. F*[pc] diuidentes unum *m* diuidentes *m*hacgk* ‖ 3 unus *m*hacgk* : *om. AKFm* ‖ 4 et[1] : uel *Fm* ‖ exigerit *F* ‖ 5 negligentia *A*[2]*Kmhacgk* ‖ 7 qua : quae *hac om. Fm* ‖ uel[1] : sed *h*[2]*ac*

3 (*Co* 27, 7), 1 uero *om. Fm* ‖ ex : et *Fm* ‖ prepositus *A* ‖

2, 1. *Sint* : cette fonction des deux anciens ne va pas de soi, comme celles de l'abbé et du préposé. Il faut l'instituer formellement. — *Fratrum disciplina* rappelle 1, 1 (*d. iuniorum*).

2. *Necessitatem monasterii* : cf. 1, 5. Partage de charge : *RB* 21, 3 (abbé et doyens).

5. Début comme en 28, 1 (*quae ad obsequium usumque monasterii*). *Faciant* : pluriel inattendu (attraction de *facienda sunt* ?). S'agirait-il des deux anciens ou de tous les frères (cf. 6) ?

2. Il y aura deux anciens, auxquels il appartiendra, que l'abbé soit présent ou absent, de veiller à la régularité de tous les frères et de s'occuper de tout au monastère, [2]en se relayant l'un l'autre jour après jour et en partageant entre eux la charge et les besoins du monastère.

[3]L'un deux, quand c'est son tour, sera toujours présent au monastère pour offrir son aide à l'abbé et ses services aux frères qui surviennent, [4]pour s'en aller à l'extérieur là où les besoins du monastère le demandent, et pour prendre soin de tout ce qui concerne l'observance quotidienne et la vie religieuse du monastère. [5]Ainsi, sans commettre aucune négligence ni provoquer aucune plainte, on fera tout ce qui est à faire pour le service du monastère et dans son intérêt.

[6]L'autre, quand c'est son tour, restera avec les frères, afin de sortir avec eux pour tout travail et tout besoin, en veillant à ce qu'ils ne fassent rien de contraire à la régularité. [7]Surveillant dans tous ses détails la conduite d'un chacun, s'il voit quelque action déplacée, ou bien il la corrigera par lui-même, ou bien il la dénoncera à l'abbé.

3. Quant à celui qui a été préposé aux frères de façon régulière, par nomination de l'abbé, avec l'avis et le consentement de tous les frères, il assumera toute responsabilité en ce qui concerne la régularité des frères et le soin du monas-

---

6. Les mss *AK* placent une ponctuation *(:)* après *prouidens*, ainsi rattaché à *necessitatem* (« pourvoyant à tout besoin »). De même, malgré l'absence de ponctuation dans *F*, l'éditeur de la *Concordia (prouidens, ne)*. — *Disciplina*, terme cher au rédacteur, manquait dans RIVP et 2RP.

3, 1. *Ille... qui... praepositus est* comme en 21, 5 (cf. 2RP 7). *Secundum ordinem disciplinae* semble viser des nominations irrégulières, soit par une autorité extérieure (cf. *RB* 65, 1-10), soit par la communauté ou l'abbé agissant l'un sans l'autre (cf. *RB* 65, 14-15, où d'ailleurs les « frères craignant Dieu » sont seuls consultés). *Ad se curam... reuocabit* comme dans *Statuta eccl. ant.* 3 (*episcopus nullam rei familiaris curam ad se reuocet*).

diligentiam monasterii reuocabit, [2]habens potestatem abbate absente faciendi omnia quae abbas praesens facit. [3]Ille autem *patientiam, mansuetudinem, humilitatem, caritatem,* aequitatem sine personarum acceptione <*habe*bit>, [4]*ita* agens *ut nec* abbati tedium generet, *nec* fratres intemperantia illius *labor*ent. [5]Haec obseruabit senior monasterii qui fratribus praepositus est, referans ad abbatem omnia, uel praecipue illa quae per se non ualuerit explicare.

4. *Commendatum aliquid etiam a germano fratre nullus accipiat.* [2]*Nihil in cella sua absque praepositi iussione quispiam* habeat, *nec poma quidem uilissima et cetera huiuscemodi.*

5. *Operantes* uero fratres *nihil loquantur saeculare, sed aut meditentur ea quae sancta sunt, aut certe silebunt.*

6. *Qui* autem *coqu*inat, *antequam fratres* reficiant, *non gustabit* quicquam.

7. *Nemo in cella et in domo sua habeat* quicquam *praeter ea quae in communi monasterii lege praecepta sunt.*

---

2 presens *A* ‖ 3 mansuaetudinem *A*[ac] *ut uid.* ‖ habebit *scripsi : om. AKFm* seruabit *m**hacgk* ‖ 4 taedium *mhacgk* ‖ 5 ualuerit : uoluerit *ac*

4 (*Co* 27, 7), 2 aliquod *hacgk* ‖ 2 nec : ne *gk*

5 (*Co* 27, 7) uero *om. m*

7 et : aut *hacgk*

3, 3-4 2RP 5-6 ; cf. Ph 2, 2-3 ; 1 Tm 6, 11 ; Ep 4, 2 ‖ 4 2RP 3.
4, 1-2 PACHÔME, *Praec. 113-114* ‖ 5 *Praec.* 60 ‖ 6 *Praec.* 74 ‖ 7 *Praec.* 81

---

2. Remplacement de l'abbé absent (cf. 2, 1) : *RM* 93, 66-68.
3. Le prévôt doit avoir les qualités requises de tous les frères selon la

tère, ²avec le pouvoir de faire, en l'absence de l'abbé, tout ce que fait l'abbé quand il est présent. ³Il aura la patience, la douceur, l'humilité, la charité, une équité exempte de tout parti pris, ⁴en se gardant de causer des ennuis à l'abbé et d'accabler les frères par des excès de zèle. ⁵Telles sont les normes qu'observera l'ancien du monastère qui a été préposé aux frères. Il soumettra toute affaire à l'abbé, surtout celles qu'il ne peut régler par lui-même.

4. Nul ne recevra en dépôt aucun objet confié, même par son propre frère. ²En cellule, personne n'aura rien qui ne soit autorisé par le préposé, pas même les fruits les plus ordinaires et les autres choses de ce genre.

5. Au travail, d'autre part, les frères ne diront rien de profane, mais ils réciteront des textes sacrés ou se tairont.

6. Quant au cuisinier, il ne goûtera de rien avant que les frères ne mangent.

7. En cellule et en maison, personne n'aura rien, en dehors de ce qui est fixé par la règle commune du monastère.

---

source (2RP 5 ; cf. ROr 30, 1-2). D'après celle-ci (*habentes*), nous suppléons le verbe. L'ordre des qualités est changé, et la dernière est neuve (cf. 1, 6).

4. Réminiscence de 2RP 3 comme plus haut (1, 1).

5. Formules répétées plus bas (25, 10 ; 27, 8).

4, 2. *Habeat* remplace *comedet*, terme évité par le rédacteur (Introd., chap. ɪɪ, n. 25). Comme la précédente, la phrase vise donc la propriété (cf. 7).

5. *Vero fratres* ajouté. L'article équivaut à 2RP 11.

6. *Autem* et *quicquam* ajoutés. *Coquinat* et *reficiant* remplacent *coquet* et *comedant*. Cf. *RM* 21, 8-10.

7. Le texte pachômien est tronqué. Interversion de *domo* et de *cella*. *Quicquam* ajouté.

8. *Cumque ad dormiendum se collocauerint,* alter *alteri non loquatur.* ²Cellam alterius, nisi prius ad ostium percutiat, *introire* non audeat.

9. *Mutare de his quae a praeposito acceperit cum altero non audebit ;* ²nec accipiat melius et dabit deterius, aut e *contrario dans melius et deterius accipiens.* ³Nemo ab altero *accipiat quippiam, nisi praepositus iusserit.*

10. *Clausa cella nullus dormiat, nec habeat cubiculum quod claudi possit, nisi forte aetati alicuius uel infirmitati pater monasterii concesserit.*

11. *Nemo a terra soluat funiculum absque iussione patris.* ²Qui in *collecta fratrum inuenerit quippiam, suspendat, ut tollat qui cognouerit.*

12. *Ad collectam et ad psallendum nullus sibi occasiones inueniat, quibus quasi ire non possit.* ²Et si in monasterio uel *in agro* aut *in itinere* aut *in quolibet ministerio fuerit, orandi et psallendi tempus non praetermittat.*

---

9 (*Co* 61, 13), 2 accipiet *m*h²ac* ‖ aut e : aut *F* at *m* ‖ dans : datis *M*
10 aetate : infirmitate *AK*
11, 2 collecta : monasterio *hacgk*
12 (*Co* 51, 6), 1 occasiones *mc* : -nem *AKFhagk* ‖ inueniat *om. F* ‖ quibus : se dicat occupatum *add. mhacgk* ‖ 2 itenere *A*ᵃᶜ

8, 1-2 *Praec.* 88-89 ‖ **9,** 1-2 *Praec.* 98 ‖ 3 *Praec.* 106 ‖ **10** *Praec.* 107 ‖ **11,** 1 *Praec.* 118 ‖ 2 *Praec.* 132 ‖ **12,** 1-2 *Praec.* 141-142.

8, 1-2. *Alter* ajouté, le verbe précédent étant mis au pluriel. *Percutiat* pour *percusserit. Non audeat* pour *inlicitum est.*

9, 2. *Accipiat* pour *accipiet.* Cf. Lv 27, 10 (v. *Addenda*).

8. Et quand on se couchera pour dormir, on ne se parlera pas l'un à l'autre. ²On ne se permettra pas d'entrer dans la cellule d'autrui sans avoir frappé à la porte au préalable.

9. Ce qu'on a reçu du préposé, on ne se permettra pas de le donner en échange à autrui, ²que ce soit pour recevoir du meilleur et donner du moins bon, ou au contraire en donnant du meilleur et en recevant du moins bon. ³Personne ne recevra rien d'autrui sans autorisation du préposé.

10. Nul ne dormira dans une cellule fermée, ni n'aura de chambre qui se puisse fermer, à moins que le père du monastère l'accorde à quelqu'un pour cause de vieillesse ou de maladie.

11. Personne ne déliera un cable attaché à terre, sans autorisation du père. ²Quand on trouve un objet dans le local où les frères se réunissent pour l'office, on le suspendra pour que son propriétaire le reconnaisse et le prenne.

12. Nul ne trouvera des prétextes pour se dispenser d'aller aux réunions de l'office et à la psalmodie. ²Et que l'on soit au monastère, aux champs, en voyage ou à n'importe quel service, on ne laissera point passer les temps de prière et de psalmodie.

---

10. *Habeat* pour *habebit*, comme chez Césaire, *Reg. uirg.* 51 ; *Reg. mon.* 3.

11, 1. Voir Introd., chap. I, n. 21 ; chap. II, n. 48. Pourquoi Holste a-t-il joint cette prescription à la suivante ?

2. Pachôme-Jérôme : *Qui inuenerit aliquid, per tres dies ante collectam fratrum suspendet, ut tollat qui cognouerit.*

12, 1. Omission du troisième terme de Pachôme (*et ad orandum*).

2. Au début de l'énumération, omission de *in naui... et,* le verbe *fuerit* étant rejeté à la fin. Ensuite, les trois *et* de Pachôme sont changés.

13. *Qui minister est habeat studium ne quid operis pereat in monasterio.* [2]*In* qualicumque *omnino arte quae exercetur a fratribus, si quid perierit et* per *neglegenti*am *fuerit dissipatum, increpe*tur *a patre minister operum,* [3]*et ipse* iterum *increpe*t *alium qui opus perdiderit, dumtaxat iuxta uoluntatem et* praesentiam *principis* ; [4]*absque quo nullus increpandi fratrem habebit potestatem.*

14. *Si inuentus fuerit unus e fratribus aliquid per contentionem agens uel contradicens maioris imperio, increpabitur iuxta mensuram peccati sui.*

15. *Qui mentibur aut odio quemquam habere fuerit deprehensus, aut inoboediens aut plus ioco quam honestum est deditus, aut otiosus aut dure respondens, aut habens consuetudinem fratribus detrahendi uel his qui foris sunt,* [2]*et omnino quicquid contra regulam scripturarum est et monasterii disciplinam,* et audierit *pater monasterii, <uindicabit iuxta mensuram opusque peccati.>*

16. *<Si omnes fratres qui in domo sunt uiderint praepositum nimium neglegentem aut dure increpantem fratres et*

13 (*Co* 75, 4), 2 negligentiam *A*[2]*mhacgk* ‖ 3 praesentiam : praescientiam *mhacgk* ‖ 4 fratrem *om. m*

14 (*Co* 6, 8) increpabit *h*[2]*ac*

15, 2 uindicabit − peccati *om. AK*

16, 1 Si − monasterii *om. AK* ‖ qui − sunt *om. hacgk*

13 Pachôme, *Inst.* 5 ‖ **14** *Inst.* 9 ‖ **15** *Inst.* 10 ‖ **16** *Inst.* 17.

13, 2. *Qualicumque* remplace *nulla,* et *Quod* est supprimé devant *si.* Les mots *In − fratribus* passent ainsi de la phrase précédente à la suivante, comme l'indiquent les mss. − *Per neglegentiam* pour *neglegentia* ; *increpetur* pour *increpabitur.* A la fin, *singulorum* est omis.

3-4. *Iterum* pour *rursum* ; *increpet* pour *increpabit* ; *praesentiam* pour *sententiam* (cf. 26, 4). Même défense dans *RB* 70, 2.

13. Celui qui est de service aura soin de ne laisser aucun ouvrage se perdre dans le monastère. ²En toute espèce de métier exercé par les frères, sans aucune exception, si quelque chose se perd et se gâte par négligence, le père reprendra celui qui fait le service des travaux, ³et à son tour ce dernier reprendra celui qui a laissé le travail se perdre, mais sans s'éloigner de la volonté et de la présence du chef suprême, ⁴sans lequel nul n'a le droit de reprendre un frère.

14. S'il se trouve un frère qui agit avec opiniâtreté et contredit à l'ordre d'un supérieur, on le reprendra autant que le mérite sa faute.

15. Celui qui commet un mensonge ou qui est pris à haïr quelqu'un, à désobéir, à s'amuser de façon déshonnête, à paresser, à répondre avec dureté, à médire habituellement de frères ou d'étrangers — ²en un mot, tout ce qui est contraire à la norme des Écritures et à la règle du monastère —, quand le père du monastère en sera informé, il sévira autant que le mérite la faute commise.

16. <Si tous les frères qui sont dans la maison voient le préposé commettre de graves négligences ou reprendre les frères avec dureté et> outrepasser   <la norme du monas-

---

14. Équivaut à 2RP 27-28, que ROr ne reproduira pas.

15, 2. *Et audierit* pour *audiet*. Mots suppléés : voir note suivante.

16, 1. Le texte bref de *A* ne donne pas de sens et résulte visiblement d'un saut du même au même (*monasterii* : 15, 2 et 16, 1). Malheureusement *Co* fait défaut pour ces deux chapitres. Holste semble avoir restitué le texte omis d'après Pachôme, en omettant lui-même les mots *qui in una domo sunt* après le premier *fratres*. Cette omission est plausible, vu la suppression des « maisons » pachômiennes dans ROr 21, 1 ; 37 ; 41, 1. Mais elle ne s'impose pas en son entier. Il suffit, avec la recension brève de Pachôme, d'omettre *una* : il ne s'agit plus d'*une* maison parmi d'autres, mais de *la* maison (le monastère ; cf. 7 et 39, 2). — *Referant hoc patri* pour *referent ad patrem ; increpetur* pour *increpabitur*.

mensuram monasterii> excedentem, referant hoc patri et ab
eo increpetur. ²Ipse autem praepositus nihil faciat nisi quod
pater iusserit, maxime in re noua. Quae ex more descendit,
seruabit regulam monasterii.

17. Praepositus uero non inebrietur, ²nec sedeat in humi-
lioribus locis. ³Ne rumpat uincula quae Deus in caelo
condidit, ut obseruetur in terris. ⁴Ne lugeat in die festo
Domini saluatoris. ⁵Dominetur carni suae iuxta mensuram
sanctorum. ⁶Non inueniatur in excelsis cubilibus, imitans
morem gentilium. ⁷Non sit duplicis fidei. ⁸Non sequatur
cordis sui cogitationes, sed legem Dei. ⁹Non resistat
sublimioribus tumenti animo potestatibus. ¹⁰Ne fremat neque
hinniat iratus super humiliores, ¹¹neque transferat terminos
regulae.

¹²Non sit fraudulentus, neque in cogitationibus uerset
dolos ; ¹³nec neglegat peccatum animae suae ; ¹⁴nec uincatur
carnis luxuria. ¹⁵Non ambulet neglegenter. ¹⁶Non loquatur
uerbum otiosum. ¹⁷Non ponat scandalum ante pedes caeci.
¹⁸Non doceat uoluntatem animam suam. ¹⁹Non resoluatur
risu stultorum ac ioco. ²⁰Non capiatur cor eius ab his qui

17 (Co 27, 8), 1 inaebrietur AF ‖ 2 nec : ne Aᵃᶜ non Fm ‖ 3 obseruentur mhacgk
‖ 10 fremat : refrenat F ut uid. refrenet m ‖ neque : neue m nec m*hacgk ‖ hinniat :
hyn- AK in- Fᵃᶜ irruat m* hirriat hacgk ‖ 11 neque : nec hacgk ‖ 12 cogitationibus :
suis add. m ‖ 13 nec : non m om. Aᵃᶜ ‖ negligat A²Kmhacgk ‖ 14 luxoria AFᵃᶜ ‖ 15
negligenter A²Kmhacgk ‖ 17 ceci AK ‖ 20 his : eis m ‖

17, 1-45 PACHÔME, Inst. 18 ‖ 1 Cf. Ep 5, 18 ‖ 3 Cf. Mt 16, 19 ; 18, 18 ‖ 6 Cf. Lc
14, 8 ‖ 9 Cf. Rm 13, 1 ‖ 11 Cf. Dt 27, 17 ; Pr 22, 28 ‖ 16 Cf. Mt 12, 36 ‖ 17 Lv 19,
14 ‖

2. Nam (in ea) omis devant Quae.
17, 1. Second directoire du prévôt (cf. 3). Vero ajouté.
2. Iuxta uasa monasterii omis à la fin.
4. Cf. Gangres, can. 18 ; Saragosse (381), can. 2 ; CASSIEN, Conl. 21,

tère>, ils le dénonceront au père, et celui-ci le reprendra.
²Quant au préposé, il ne fera rien sans la permission du père,
surtout en matière nouvelle. Il gardera la règle du monastère,
telle que l'a transmise la coutume.

17. Le préposé, d'autre part, ne s'enivrera pas, ²ni ne
s'assiéra à une place inférieure. ³Il ne brisera pas les liens que
Dieu a institués au ciel pour qu'on y ait égard sur la terre. ⁴Il
ne fera pas pénitence au jour de fête de notre Seigneur et
Sauveur. ⁵Il maîtrisera sa chair selon la norme des saints.
⁶On ne le trouvera pas installé sur les lits élevés, suivant la
coutume des païens. ⁷Il se gardera de la duplicité. ⁸Il ne
suivra pas les pensées de son cœur, mais la loi de Dieu. ⁹Il ne
résistera pas orgueilleusement aux autorités supérieures. ¹⁰La
colère ne le fera pas gronder et hennir contre ses subordonnés, ¹¹et il ne déplacera pas les bornes de la règle.

¹²Il se gardera de la tromperie et ne machinera pas dans
son esprit des desseins tortueux. ¹³Il ne négligera pas non
plus un péché de son âme, ¹⁴ni ne se laissera vaincre par la
luxure charnelle. ¹⁵Il ne marchera pas avec négligence. ¹⁶Il ne
dira pas de parole vaine. ¹⁷Il ne mettra pas de pierre devant
les pieds d'un aveugle pour le faire tomber. ¹⁸Il n'apprendra
pas à son âme à faire ce qu'elle veut. ¹⁹Il ne se laissera pas
dissiper par les rires et les jeux des sots. ²⁰Il ne laissera pas

---

20, 3 ; *Statuta eccl. ant.* 77 ; Césaire, *Reg. mon.* 22 : pas de jeûne le
dimanche.

7. Ici commence Eugippe, *Reg.* 26, qui finit comme ROr 17, mais
omet davantage.

10. *Ne* pour *non. Iratus* ajouté.

11. *Neque* pour *ne. Regulae* ajouté.

12-13. *Fraudulentus* : cf. 17, 28. *Nec* pour *ne.*

16. *Cito* omis : sévérité pour les propos oiseux.

18. *Voluntatem* pour *uoluptatem* : mots interchangeables (*La Règle du
Maître*, t. I, p. 450 et 453).

20. *Capiatur* pour *rapiatur.*

inepta loquuntur et dulcia. ²¹*Non uincatur muneribus.* ²²*Non paruulorum sermone ducatur.*

²³*Non* deficiat *in tribulatione.* ²⁴*Non timeat mortem sed Deum.* ²⁵Non *praeuaricator sit propter inminentem timorem.* ²⁶*Non relinquat uerum lumen propter modicos cibos.* ²⁷*Non nutet ac fluctuet in operibus suis.* ²⁸*Non mutet sententiam, sed firm*us *sit solidique decreti, iustus, cuncta considerans, iudicans in ueritate absque appetitu gloriae, manifestus Deo et hominibus, et a fraude procul.* ²⁹*Nec ignoret conuersationem sanctorum, nec ad eorum scientiam caecus existat.* ³⁰*Nulli noceat per superbiam,* ³¹*nec sequatur concupiscentias oculorum.*

³²*Veritatem numquam praetereat.* ³³*Oderit iniustitiam.* ³⁴*Secundum personam numquam iudicet pro muneribus,* ³⁵*nec condemnet animam innocentem per superbiam.* ³⁶*Non rideat inter pueros.* ³⁷*Non deserat ueritatem timore superatus.* ³⁸*Non despiciat eos qui indigent misericordiam.* ³⁹*Ne deserat iustitiam propter lassitudinem.* ⁴⁰*Ne perdat animam suam propter uerecundiam.* ⁴¹*Ne respiciat dapes lautioris mensae,* ⁴²*nec pulchra uestimenta desideret,* ⁴³*nec se neglegat,* sed *semper diiudicet cogitationes suas.* ⁴⁴*Non inebrietur uino, sed*

---

24 mortem timeat *transp. hacgk* ‖ 28 solidique : ac solidi *m* ‖ considerans cuncta *transp. Fm* ‖ iudicans *om. Fm* ‖ 29 Nec¹ : ne *A*ᵃᶜ*Fmh*²*ac* ‖ sanctorum : suorum *hacgk* ‖ existat *om. m* ‖ 37 Non : nec *m* ‖ superatus : separatus *K* ‖ 38 dispiciat *AK* ‖ misericordia *Fmhacgk* ‖ 39 Ne : nec *Fm* non *Khacgk* ‖ 41 Ne : non *F* nec *m* ‖ 43 negligat *A*²*Kmhacgk* ‖ semper *om. m* ‖

23 Ep 3, 13‖ 26 Cf. Jn 1, 9 ‖ 28 Cf. Ps 95, 13 ; 2 Co 5, 11 ‖ 29 Cf. Pr 30, 3 ; Sg 10, 10 ‖ 31 Cf. Si 5, 2 ; 1 Jn 2, 16 ‖ 34 Cf. Is 5, 23 ‖ 40 Si 20, 24 ‖ 44 Cf. Ep 5, 18.

---

23. *Affligetur* est remplacé par *deficiat* (Ep 3, 13).

25. *Non* pour *ne.*

28. *Firmus* pour *firmi. Iudicans in ueritate* comme en 1, 7.

31. Après *oculorum*, omission de *suorum* et de la phrase suivante (*Non eum superent incentiua uitiorum*), probablement par homéotéleute.

prendre son cœur par ceux qui disent des inepties et font des compliments. [21]Il ne se laissera pas fléchir par des présents. [22]Il ne se laissera pas entraîner par les discours des petits. [23]Il ne défaillera pas dans l'épreuve. [24]Il ne craindra pas la mort mais Dieu. [25]Il ne commettra pas de prévarication sous l'empire de la crainte. [26]Il n'abandonnera pas la vraie lumière pour un peu de nourriture. [27]Sa conduite ne sera pas hésitante et ondoyante. [28]Il ne changera pas d'avis, mais se montrera ferme et inébranlable dans ses décisions, juste, prenant tout en considération, jugeant dans la vérité sans désir de gloire, transparent à Dieu et aux hommes, et éloigné de toute fraude. [29]Il n'ignorera pas la conduite des saints et ne restera pas aveugle à l'égard de leur science. [30]Il ne fera de tort à personne par orgueil [31]et ne suivra pas les convoitises de ses yeux.

[32]Jamais il ne passera à côté de la vérité. [33]Il détestera l'injustice. [34]Jamais il ne jugera avec parti pris pour des présents, [35]ni ne condamnera par orgueil une âme innocente. [36]Il ne rira pas au milieu des enfants. [37]Il n'abandonnera pas la vérité en se laissant dominer par la crainte. [38]Il ne méprisera pas ceux qui ont besoin de miséricorde. [39]Il n'abandonnera pas la justice par lassitude. [40]Il ne perdra pas son âme par respect humain. [41]Il ne lancera pas de regards sur les plats d'une table mieux servie, [42]ni ne désirera de beaux vêtements, [43]ni ne se négligera, mais sans cesse il examinera ses pensées. [44]Il ne s'enivrera pas de vin, mais

34. Juger sans parti pris : RIVP 5, 11 ; ROr 1, 5-6 et 3, 3.

38. Trois sentences sont omises avant cette phrase (*Nom comedat panem de fraudulentia. Non desideret alienam terram. Non opprimat animam propter aliorum spolia)*, et trois autres après *(Ne falsum dicat testimonium seductus lucro. Ne mentiatur propter superbiam. Ne contendat contra ueritatem ob tumorem animi)*, sans doute par volonté d'abréger. De son côté, Eugippe omet la première et la troisième des sentences précédentes, ainsi que la seconde des sentences suivantes.

43. *Sed* remplace *ut*, qui est omis par la recension brève.

humilitati iunctam habeat ueritatem. [45]*Quando iudicat, sequatur praecepta maiorum et legem Dei, quae in toto orbe praedicata est.*

18. *Si deprehensus fuerit aliquis e fratribus libenter cum pueris ridere et ludere et habere amicitias aetatis infirmae, tertio commoneatur ut recedat ab eorum necessitudine et memor sit honestatis et timoris Dei.* [2]*Si non cessauerit,* corripiatur, *ut dignus est, correptione seuerissima.*

19. *Qui contemnunt praecepta maiorum et regulas monasterii, quae Dei praecepto constitutae sunt, et paruipendunt seniorum consilia, corripiantur iuxta ordinem constitutum, donec corrigantur.*

20. *Maiores qui cum fratribus mittuntur foras quamdiu fuerint, habebunt ius praepositorum, et eorum cuncta regentur arbitrio.* [2]*Docebunt fratres per constitutos dies,* [3]*et si forte inter eos ortum fuerit aliquid simultatis, audient iure maiores et diiudicabunt causam et digne culp*am *increpabunt,* [4]*ut ad imperium eorum statim pacem pleno corde consocient.*

21. *Si quis frat*er *contra praepositum su*um *habuerit tristitiam, aut ipse praepositus contra fratrem aliquam querimoniam,* [2]*probatae fratres conuersationis et fidei eos*

45 predicata *AK* ‖ est *om. F ut uid.*

20, 1 mittunt *A ut uid.* ‖ fuerint : ibi *praem. hacgk* ‖ cuncta *om. ac* ‖ 3 iure : ipsi *hacgk* ‖ digne culpam : dignum culpa *hacgk* ‖ 4 ut : uel *h²ac*

21, 2 probati *AK* ‖

18-19 PACHÔME, *Iud.* 7-8.
20-21 PACHÔME, *Leg.* 13-14.

45. Cf. 17, 8. Comme Eugippe, l'Orientale omet les malédictions qui suivent.

18, 1. Voir 17, 36. Cf. 17, 19 (rire) ; 17, 22 (conversations avec les enfants).

joindra la vérité à l'humilité. ⁴⁵Quand il juge, il suivra les ordonnances des supérieurs et la loi de Dieu qui a été prêchée dans le monde entier.

18. Si l'on prend un frère à aimer rire et s'amuser avec les enfants et à lier amitié avec l'âge tendre, on l'avertira trois fois de rompre ses relations avec eux et de revenir à la décence et à la crainte de Dieu. ²S'il ne cesse pas, on lui infligera la correction très sévère qu'il mérite.

19. Ceux qui méprisent les ordres des supérieurs et les règles du monastère fixées par ordre de Dieu, et qui font peu de cas de l'avis des anciens, on les corrigera de la manière fixée, jusqu'à ce qu'ils s'amendent.

20. Les supérieurs envoyés à l'extérieur avec les frères auront, tant que durera leur mission, les mêmes droits que les préposés, et tout sera réglé par leur décision. ²Ils instruiront les frères aux jours fixés, ³et s'il se produit entre eux quelque dissentiment, c'est de droit à ces supérieurs qu'il appartient d'entendre les parties adverses, de trancher le différend et de stigmatiser la faute comme elle le mérite. ⁴Ainsi, sur leur injonction, on rétablira la paix immédiatement et de tout cœur.

21. Si un frère en veut à son préposé ou que le préposé ait à se plaindre du frère, ²des frères, dont on aura bien éprouvé

---

2. *Corripiatur* pour *corripient eum* (var. : *corripiant eum, corripietur*).

19. *Praecepta maiorum* : 17, 45. « Règles du monastère » comme en 16, 2 (singulier).

20, 1. Après *quamdiu,* omission de *ibi.* Cf. 17, 11 ; 29, 3.5.

3. *Digne culpam* pour *dignum culpa.*

21, 1-2. *Frater* pour *e fratribus. Suum* pour *domus suae* (cf. 16, 1 et note). *Debent* pour *debebunt.*

*audire debe*nt *et diiudicabunt inter eos,* ³*si tamen absens est*
*pater monasterii uel ali*cubi *profectus.* ⁴*Et primum quidem*
expectabunt eum ; sin autem diutius uiderint foris demorari,
tunc audient inter praepositum et fratrem, ne diu suspenso
iudicio tristitia maior oriatur : ⁵*ut et ille qui praepositus est et*
ille qui subiectus est et illi *qui audiunt, iuxta timorem Dei*
cuncta faciant et non dent in ullo occasionem discordiae.

22. *Nullus mittatur foras* ob *aliquod negotium solus.*
²Missi uero non singuli, sed bini uel terni ambulent, ³ut dum
se inuicem custodiunt et consolantur, et seniores eorum de
honesta eorum conuersatione securi sint, et illi non periclitentur. ⁴*Obseruantes* tamen *hoc ut non se inuicem fabulis*
inanibus *destruant*, neque neglegenti cedent locum destructionis, ⁵*sed unusquisque* in actu *suo* adtentus sit, prout
tempus fuerit.

23. *Quando autem reuersi fuerint in monasterium, si ante*
ostium uiderint aliquem quaerentem suorum adfinium de his
qui in monasterio commorantur, non ualebunt *ire ad eum et*
nuntiare uel euocare ; ²*et omnino quicquid foris gesserint, in*
monasterio narrare non praesumant.

24. Quibus erit potestas *legendi usque ad horam tertiam,*
²*si tamen nulla causa* steterit, *qua necesse sit etiam aliquid*

3 et *om. hacgk* ‖ 4 uiderint : uident *hacgk* ‖ foris *om.* A^ac ‖ 5 facient A
  22 (*Co* 72, 21), 2 ob : ad *hacgk* ‖ aliquo A^ac ‖ solus *om. m* ‖ 4 neglegenti : neglig-
A²K*m* negligentiae *hacgk* ‖ cedent : cedant *m* dent *hacgk*
  23 (*Co* 72, 21), 1 affinium A²K*mhacgk*
  24, 1 Quibus : omnibus *hacgk* ‖ steterit : extiterit *hacgk* ‖
  22, 1 PACHÔME, *Praec.* 56 ‖ 4 2RP 11 ‖ **23** *Praec.* 57.
  24, 1-2 2RP 23-24 ‖ 3 2RP 25 et 4 ‖ 4 2RP 35-36.

3-5. *Alicubi* pour *aliquo. Demorari* pour *commorari. Illi* pour *hi.*

la vie religieuse et la foi, doivent entendre les parties adverses et trancher entre elles, [3]si toutefois le père du monastère est absent ou en déplacement. [4]Alors ils commenceront par l'attendre. Mais s'ils voient qu'il s'attarde à l'extérieur, ils entendront le préposé et le frère, pour éviter que leur mésentente ne s'aggrave du fait que le jugement est renvoyé à une date lointaine. [5]Ainsi, tant le préposé et son subordonné que ceux qui instruisent l'affaire, ils feront tout dans la crainte de Dieu et ne donneront aucune prise à la discorde.

22. Nul ne sera envoyé seul à l'extérieur pour une affaire. [2]Ceux qu'on envoie n'iront pas isolément, mais à deux ou trois. [3]Ainsi, ils se garderont et se soutiendront l'un l'autre, leurs anciens seront sûrs que leur comportement religieux est ce qu'il doit être, et ils ne courront eux-mêmes aucun risque. [4]Cependant ils auront soin de ne pas se détruire l'un l'autre par de futiles bavardages et de ne pas laisser un négligent commettre pareille destruction, [5]mais chacun, aux différents moments, sera tout à son affaire.

23. De retour au monastère, s'ils trouvent à la porte quelqu'un qui désire voir un de ses parents habitant au monastère, il leur est défendu d'aller trouver celui-ci et de lui donner la nouvelle ou de l'appeler. [2]Et de ce qu'ils ont fait à l'extérieur, ils ne se permettront de raconter au monastère absolument rien.

24. Ils pourront lire jusqu'à la troisième heure, [2]à moins

22, 1. Pachôme : *Nullus solus foras mittatur ad aliquod negotium...*
2-3. Voir Introd., chap. II, n. 22-23 et 42. Cf. RMac 22, 1-3 et note. « Garder » son frère en voyage : GRÉGOIRE, *Reg.* 11, 26 = *Ep.* 11, 44.
4-5. Voir Introd., chap. I, n. 12-13 et 22 ; chap. II, n. 23. *Vanis* (2RP 11) est remplacé par *inanibus* (cf. CÉSAIRE, *Serm.* 80, 1), qui donne un *cursus tardus*, tandis que *locum destructionis* donnera un *cursus velox*.

23, 1. Suite de 22, 1. *Valebunt* pour *audebunt*. *Euocare* pour *uocare*.
24, 1-2. Suite de 22, 4-5 (voir note). Double omission de *medite*

fieri. [3]*Post horam uero tertiam* si *quae statuta sunt, sicut scriptum est,* uel superbiam uel neglegentiam uel desidiam intercedentem non *custodi*erit, [4]*sciat se, cum* in hoc errore *deprehensus fuerit, culpabilem iudicandum, quia per su*um errorem *et alios in uitium mittit.*

25. Cellararii uero cura sit, ut abstinentiam et sobrietatem studens inlata in monasterio ad sumptus fratrum diligenter et fideliter seruet, [2]nihil suscipiens nec quicquam tradens sine auctoritate uel seniorum consilio. [3]Qui etiam omnia utensilia quae in monasterio sunt, id est uestem, uas, ferramentum et quicquid usibus cotidianis necessarium est custodiat ; [4]et unamquamque rem proferens, cum fuerit necessarium, ab eo iterum ad reponendum, cui utendo consignauerit, recepturus.

[5]Ad uictum uero fratrum proferat et tradat septimanariis. [6]Ad condiendos cibos det necessaria secundum cotidianae expensae consuetudinem, neque profuse, neque auare, [7]ne

---

3 uel[1] : per *hacgk* ‖ neglegentiam *A²Khacgk*

25 (*Co* 40, 9), 1 cellararii : celler- *h²* cellarii *ack* ‖ uero *om. m* ‖ sobriaetatem *A^{ac}F* ‖ illata *A²Kmhacgk* ‖ monasterium *m* ‖ 2 consilio seniorum *transp. m* ‖ 4 unamquemque *A^{ac}F* ‖ rem *om. F* ‖ 5 trudat *A^{ac} ut uid.* ‖ septimanariis *sent. sequenti coni. AKFm* ‖ 6 cybos *A* ‖ consuaetudinem...profusae *A^{ac}* ‖

(2RP 23-24) : cf. notre article « Les deux fonctions de la méditation dans les règles monastiques anciennes », dans *RHS* 51 (1975), p. 8-10.

3. Dans 2RP 4, *sicut scriptum est* visait une citation (Ph 2, 2). Omettant celle-ci, ROr paraît référer ces mots à une règle écrite, c'est-à-dire à elle-même. Mutation analogue pour *quae statuta sunt* (*a Domino,* ajoutait 2RP). — *Quis* sous-entendu après *si* (cf. 2RP 27). *Superbiam... intercedentem* : accusatif absolu (cf. 41, 1). Les trois mêmes substantifs sont reliés par trois *uel,* comme ici, en 29, 3.

4. *Errore* (cf. 33, 2) rappelle 2RP 30.

25, 1. *Cellararius* (CÉSAIRE, *Reg. uirg.* 42 ; *RM* 16 ; *RB* 31 ; *Reg. Pauli et Steph.* 19), non *qui cellarium fratrum contineat* (RIVP 3, 23 ; cf. HORSIÈSE, *Lib.* 26), *dispensator* (Pachôme ; CASSIEN, *Inst.* 4, 19, 3) ou

qu'il n'y ait un empêchement qui oblige à faire quelque chose même alors. ³Après la troisième heure, si par orgueil, négligence ou paresse, on n'observe pas ce qui est prescrit, de la façon dont c'est marqué, ⁴on doit savoir que, pris à transgresser ainsi, on sera tenu pour coupable, d'autant que, en transgressant soi-même, on en porte d'autres à mal agir.

25. Quant au cellérier, il aura pour tâche de conserver diligemment et fidèlement, sans manquer à l'abstinence et à la sobriété, ce qu'on apporte au monastère pour le ravitaillement des frères. ²Il ne recevra rien sans autorisation et sans l'aveu des anciens. ³Il gardera en outre tous les objets d'usage courant qui se trouvent au monastère : vêtements, récipients, outils et tout ce qui est nécessaire aux besoins quotidiens. ⁴Fournissant chaque objet quand c'est nécessaire, il le reprendra à celui auquel il en avait confié l'usage et le remettra à sa place.

⁵Les aliments des frères, c'est lui qui les fournira et qui les remettra aux semainiers. ⁶Pour l'assaisonnement de la nourriture, il donnera le nécessaire, ainsi qu'il est d'usage de dépenser chaque jour, sans prodigalité ni avarice, ⁷en prenant

oeconomus (JÉRÔME, _Ep._ 22, 35, 6 ; CASSIEN, _Inst._ 4, 6, etc. ; _V. Patrum Iur._ 68, etc. ; Colomban). Maître de l'appétit : RIVP 3, 24 ; _RM_ 16, 62 ; _RB_ 31, 1. _Inlata in monasterio_ : cf. 23 (retour des sortants) ? Fidélité : _RM_ 16, 62.

2. Cf. 1, 4, parlant des frères et de l'abbé ; CASSIEN, _Conl._ 2, 11, 7 (_consiliis seniorum_). Subordination du cellérier : _RM_ 16, 32-34 ; _RB_ 31, 4.12.15.

3. Le cellérier garde les vêtements : CASSIEN, _Inst._ 4, 6 ; HORSIÈSE, _Lib._ 26. Vêtements et _ferramenta_ sont gardés par d'autres selon _RM_ 17 ; _RB_ 32. _Usibus... necessarium_ : _RM_ 11, 99.

4. _Et_ appelle un verbe qui fait défaut. Donner et reprendre : _RM_ 16, 39-40 ; _RB_ 35, 10-11.

5-7. Cf. ISIDORE, _Reg._ 20, 2 : _praebet ebdomadariis quidquid necessarium est uictui monachorum ; RB_ 31, 12 : _neque auaritiae studeat neque prodigus sit aut stirpator substantiae monasterii._

uitio ipsius uel monasterii substantia grauetur, uel fratres patiantur iniuriam. [8]Sed et necessitatem infirmorum fratrum ac laborem considerans, nihil aegrotantium desideriis neget ex his quae habuerit, quantum illis necesse fuerit. [9]Aduenientibus diuersis fratribus escas parabit.

[10]Haec erit cura custodis cellararii, recurrens semper ad seniorum consilium et requirens de omnibus, uel praecipue de his quae proprio suo intellectu non potuerit adimplere.

26. Ostiario cura sit, ut omnes aduenientes intra ianuas recipiat, [2]dans eis responsum honestum cum humilitate et reuerentia, ac statim nuntians uel abbati uel senioribus quis uenerit et quid petierit. [3]Nec ullus extraneorum patiatur iniuriam, [4]neque habeat cum aliquo de fratribus necessitatem ac facultatem loquendi absque conscientia abbatis uel seniorum praesentia. [5]Si quid uero cuicumque de fratribus missum mandatumque fuerit, nihil ad ipsum perueniat priusquam abbati uel senioribus indicetur. [6]Ante omnia ostiarius monasterii haec obseruabit, ne quemquam de fratribus ianuam exire permittat.

---

7 ipsius : illius *m* ‖ 9 diuersis *om. m* ‖ 10 cellararii : cellarii *mhacgk* ‖ poterit *m*

26 (*Co* 71, 6), 1 Ostiario : -rii *hacgk* ‖ 2 nuntians : -tiet *m* ‖ 4 conscientia : scientia *h²ac* ‖ praesentia *om. Fm* ‖ 5 Si — missum *om. Fm* ‖ mandatumque : quod *add. m*

8-9. Malades : Césaire, *Reg. uirg.* 42 ; *RM* 16, 33. Malades et hôtes : *RB* 31, 9 ; Isidore, *Reg.* 20, 2. *Aduenientibus fratribus* : 2, 3. *Diuersis* fait penser à *RM* 1, où le mot revient une quinzaine de fois dans le même contexte d'hospitalité.

10. Conclusion comme en 3, 5. *Cellararii* : faute pour *cellarii* ? Apposition ou épithète de *custodis* ? *Recurrens* : nominatif *pendens*. Recours aux anciens : 25, 2 (cf. Ex 18, 22 et 26).

26, 1. Cf. *RB* 53, 1 : *Omnes superuenientes... suscipiantur.*

garde que sa mauvaise gestion ne grève le temporel du monastère ou ne cause un préjudice aux frères. [8]De plus, prenant à cœur les besoins et les souffrances des frères mal portants, il ne refusera rien de ce que désirent ces malades pour autant qu'il l'aura, dans toute la mesure où ils en auront besoin. [9]A l'arrivée de frères venant d'ailleurs, il leur préparera de quoi manger.

[10]Telle sera la tâche du gardien du cellier. Sans cesse il prendra l'avis des anciens et les consultera à tout propos, surtout au sujet de ce qu'il ne peut mener à bien par ses propres lumières.

26. Le portier aura pour tâche de faire entrer tous ceux qui arrivent à la porte, [2]de leur répondre correctement, avec humilité et respect, et d'annoncer aussitôt à l'abbé, ainsi qu'aux anciens, qui est là et ce qu'il demande. [3]Aucun étranger ne doit souffrir préjudice. [4]Aucun non plus ne doit avoir besoin et permission de parler à un des frères, sans que l'abbé soit mis au courant et que les anciens soient présents. [5]Si l'on envoie un objet ou un message à un frère, rien ne lui sera remis avant que l'abbé et les anciens en soient informés. [6]Avant tout, le portier du monastère se gardera de permettre à aucun frère de franchir le seuil et de sortir.

2. Réponse : RIVP 2, 37 ; *RB* 64, 1-4. Humilité : 2RP 15 ; *RB* 53, 6 et 24 (cf. *RB* 20, 1). Annoncer au supérieur : PACHÔME, *Praec.* 51.53.54. ; *RM* 95, 3.

4-5. Même suite dans *V. Patrum Iur.* 172 (cf. Introd. chap. ii, n. 5-7) ; *RB* 53, 23-24 et 54, 1-2. Cf. PACHÔME, *Praec.* 53.

4. Voir RIVP 2, 40 ; 2RP 15-17 ; *Reg. Tarn.* 7, 7-9. Clause finale comme chez CÉSAIRE, *Reg. uirg.* 43 *(extra conscientiam uel consilium abbatissae).* Présence de témoins : 41, 1-2 (cf. 13, 3) ; PACHÔME, *Praec.* 53 ; CÉSAIRE, *Reg. uirg.* 40.

5. Voir AUGUSTIN, *Praec.* 5, 3 ; CÉSAIRE, *Reg. uirg.* 43 (cf. *Reg. uirg.* 25 et *Reg. mon.* 1 ; *Reg. Tarn.* 19, 3-4).

6. *Ostiarius monasterii* : *RM* 95, T ; *RB* 66, T. Pas de sortie : *Hist. mon.* 17 ; THÉODORET, *Hist. phil.* 26, 8 ; CÉSAIRE, *Reg. uirg.* 2 et 50.

27. *Si quis accesserit ad ostium monasterii, uolens saeculo renuntiare et fratrum adgregari numero, non habeat intrandi libertatem, [2]sed prius nuntietur patri monasterii, et manebit paucis diebus foris ante ianuam, ac docebitur orationem dominicam et psalmos quantos potuerit discere, [3]et diligenter sui experimentum dabit : ne forte mali quippiam fecerit, ut turbatus ad horam timore discesserit, aut sub aliqua potestate sit, [4]et utrum possit renuntiare parentibus suis et propriam contemnere facultatem. [5]Si eum uiderint aptum ad omnia, tunc docebitur ad reliquas monasterii disciplinas quae facere debeat, [6]quibusque seruire, < siue in collecta omnium fratrum, > siue in uescendi ordine : [7]ut instructus atque perfectus in omni opere bono fratribus copuletur.*

[8]*Haec obseruabit custos ianuae, referens omnia, sicut superius scriptum est, adnuntians senioribus.*

28. *Septimanarii ad cibos parandos uel ad luminaria concinnanda uel ad nitores faciendos, atque quae ad obsequium usumque monasterii pertinent, semper parati sint. [2]Hos nulla alia necessitas occupet, sed in hoc studium*

---

27 (Co 65, 25), 1 monasterii *om.* hacgk ‖ adgregari : adcongregari *F* aggregari *A²Kmhacgk* ‖ libertatem intrandi *transp.* hacgk ‖ 2 oratione dominica *AKF* ‖ poterit *Fm*‖ ut : et *m* ‖ timorem *F* ‖ 4 suis *om. m* ‖ 5 ad² : et *mhacgk* ‖ quae : quas *m* ‖ 6 quibusue *m* ‖ siue − fratrum : *om. AKFm* siue in domo cui tradendus (nutriendus *m**) est *add. m*hacgk* ‖ in² *om.* ac ‖ 8 custus *F* ‖ adnuntians : et nuntians *m** et annuntians *Khacgk*

28, 1 atque : et hacgk ‖ quae *om. A*ᵃᶜ ‖ usumque : ususque hacgk ‖ sint : sunt *A*ᵃᶜ *ut uid.*

27, 1-7 PACHÔME, *Praec.* 49.

27, 1. *Habeat* pour *habebit.*

3. *Vt* pour *et.* Cf. CASSIEN, *Inst.* 4, 3 (*experimentum dederit*).

5-6. *Ad* pour *et.* Après *seruire,* longue omission entièrement comblée par Holste. Sa seconde partie *(siue in domo cui tradendus est)* peut s'expliquer par la disparition des maisons (cf. 21, 1), mais on ne voit pas

27. Si quelqu'un se présente à la porte du monastère, voulant renoncer au monde et s'enrôler dans la troupe des frères, on ne le laissera pas entrer comme il veut, [2]mais on l'annoncera d'abord au père du monastère. Pendant quelques jours, il restera devant la porte. On lui enseignera l'oraison dominicale et autant de psaumes qu'il pourra en apprendre. [3]Il fournira soigneusement les preuves de sa vocation. On examinera s'il n'a pas commis quelque méfait et, bouleversé, pris la fuite dans un moment de terreur ; s'il n'est pas sous la coupe de quelqu'un. [4]Peut-il, d'autre part, quitter sa famille et renoncer à ses biens ? [5]Si on le trouve complètement apte, on lui enseignera alors le reste des normes du monastère : ce qu'il doit faire, [6]qui il doit servir, < soit à la réunion de tous les frères >, soit au réfectoire, [7]afin d'être formé et parfaitement capable de toute bonne œuvre quand on l'agrégera aux frères.

[8]Telles sont les normes qu'observera le gardien de la porte. [9]Comme nous l'avons marqué plus haut, il soumettra et annoncera tout aux anciens.

28. Les semainiers seront continuellement disponibles pour préparer les aliments, arranger les lampes, faire les nettoyages et tout ce qui intéresse le service et la bonne marche du monastère. [2]Ils ne seront occupés à aucun autre

---

la cause de la première (cf. 11, 2), d'autant que le dernier *siue*, maintenu, semble appeler un corrélatif. Sans doute s'est-il produit un saut du premier *siue* au troisième.

8. *Custos ianuae*, au lieu de *ostiarius* (26, 1.6 ; cf. PACHÔME, *Praec.* 49), rappelle 25, 10 (*custodis cellararii*), lui aussi en finale. Conclusion comme en 3, 5 (cf. 26, 6). *Sicut superius scriptum est* renvoie à 3, 5 (cf. 25, 10) ou à 26, 2 et 5. *Adnuntians* : asyndète.

28, 1. *Septimanarii* : Introd., chap. I, n. 44-46. Programme du service comme dans *RM* 19, 19-26, où toutefois c'est le cellérier qui « fait » la lampe, les semainiers n'ayant qu'à l'allumer et à l'éteindre. *Quae — monasterii* comme en 2, 5. *Semper parati sint* : *RB* 22, 6 (cf. 2RP 25).

2. Même consigne pour les portiers dans *RM* 95, 9. *Diligenter* : 25, 1.

inpendant, ut rem susceptam utiliter et diligenter impleant. [3]Et si quid forte nesciunt, de his quae agere debent, sine dissimulatione seniores suos semper interrogent.

29. Hi itaque quibus disciplina uel utilitas uel opinio uel obsequium monasterii creditur, officia sibi iniuncta fideliter custodiant et impleant. [2]Hos enim errare non decet, qui ad omnes errores emendandos praepositi sunt. [3]Qui si uel superbia uel neglegentia uel desidia aliqua ex his praetermiserint quae in regula continentur, [4]per ipsosque destructio esse coeperit, per quos debet aedificatio crescere, [5]omnibus condemnationibus, quas regula continet, subiacebunt.

30. Inter *omnes* fratres hoc obseruabitur, ut oboedientes senioribus suis et deferentes sibi *inuicem, habe*ant *patientiam*, moderationem, *humilitatem, caritatem*, pacem sine figmento et mendacio et maledictione et uerbositate et iurandi consuetudine, [2]*ita ut nemo suum quicquam uindicet*, neque ullus aliquid peculiariter usurpet, *sed habeant omnia communia.*

---

29 (*Co* 27, 9), 1 uel opinio *om. F*[pc]*m* ‖ 2 prepositi *A* ‖ 3 negligentia *A*[2]*Kmhacgk* ‖ 4 per ipsosque *A*[2]*Khacgk* : per ipsos *AFm* et per ipsos *m*[*]

30 (*Co* 42, 19), 1 omnes : omni *A*[ac] *ut uid.* omnia *Fm* ‖ ut : uel *h*[2]*ac* ‖ senioribus : senibus *m* ‖ defertentes *F* ‖ consuaetudine *A*[ac] ‖ 2 quicquam : quicquid *A*[2] *ut uid.* *Kh*[1ac]

30, 1-2 2RP 4-6 ‖

---

3. Refrain comme en 3, 5 ; 25, 10 ; 27, 8 (cf. 27, 5-7). « Leurs anciens » : 22, 3.

29, 1. *Disciplina* : 2, 1.6 et notes. *Obsequium* : 2, 3.5 ; 28, 1.
2. Erreurs : 24, 4 ; 33, 2.
3. Même énumération de vices en 24, 3.

emploi, mais mettront tout leur soin à remplir convenablement et diligemment la tâche qu'ils ont reçue. ³Et s'ils ne savent pas ce qu'ils ont à faire, ils s'empresseront toujours d'interroger leurs anciens.

29. Ainsi donc, ceux qui se voient confier la régularité, les intérêts, la réputation et le service du monastère, garderont et rempliront fidèlement les tâches qui leur sont assignées. ²Car il ne sied pas qu'ils commettent des fautes, eux qui sont chargés de corriger toute faute. ³Si l'orgueil, la négligence ou la paresse les fait passer à côté de quelque prescription contenue dans la règle, ⁴ et qu'ils commencent à faire œuvre de destruction, alors qu'ils doivent faire progresser l'édification, ⁵ils seront passibles de toutes les sanctions que contient la règle.

30. Tous les frères observeront ce qui suit : obéissant à leurs anciens et s'honorant mutuellement, ils auront la patience, la modestie, l'humilité, la charité, la paix, sans dissimulation ni mensonge ni paroles méchantes ni bavardage ni serments habituels, ²étant bien entendu que personne ne s'arrogera la propriété de quoi que ce soit et que nul ne prendra rien à son usage personnel, mais qu'ils mettront tout en commun.

---

4. Destruction (cf. 2RP 11 ; ROr 22, 4 ; *RB* 67, 5) et édification : 2 Co 13, 10 ; *RM* 11, 90 ; Césaire, *Serm.* 77, 6 (cf. 75, 2).

5. *Quas regula continet* (cf. 3) rappelle RMac 24, 2 *(uelut regula continet)* ; Grég. de Tours, *Hist. Franc.* 9, 39, *PL* 71, 517 c (*sicut continet regula*, allusion à Césaire, *Reg. uirg.* 2).

30, 1-2. *Obseruabitur* rappelle *obseruatione* (2RP 4 ; cf. 11). Utilisation de 2RP 5-6 comme plus haut (3, 3-4). Voir aussi *Ordo mon.* 6 et Césaire, *Reg. uirg.* 18 : *oboediant... deferant* ; RMac 2, 2 : *moderati.* Vices de la langue énumérés à la manière de RMac 2, 3-5 (cf. Césaire, *Reg. uirg.* 3 ; *Reg. mon.* 4-6). *Iurandi consuetudine* (*Reg. Tarn.* 19, 14 ; Ferréol, *Reg.* 23) atténue l'interdiction évangélique du serment (Mt 5, 34) de la même façon que *RM* 3, 32.

31. *Sine* seniorum *uerbo* et auctoritate *nullus frater quicquam agat,* [2]*neque accipiat aliquid neque det,* [3]*neque usquam prorsus* procedat.

32. Cum uero inuenta fuerit culpa, ille qui culpabilis inuenitur, corripiatur ab abbate secretius. [2]*Quod si non sufficit ad emendationem, corripiatur a paucis senioribus. [3]Qui si nec se emendauerit,* castigetur in conspectu omnium. [4]Quod si *nec sic emendauerit,* excommunicetur et non manducet quicquam. [5]Cui si *nec* hoc *quidem* profuerit, in quolibet loco fuerit, postremus inter omnes *in* psallendi *ordine* ponatur. [6]Quod si in prauitate perseuerat, etiam psallendi ei facultas auferatur. [7]Quem si uel haec confusio non commouerit, *abstineatur* a conuentu fratrum, [8]ita ut nec mensae nec missae intersit, neque cum eo ullus frater de iunioribus conloquatur. [9]Abstinebitur autem *tamdiu, quamdiu uel qualitas culpae poposcerit secundum* abbatis ac seniorum *arbitrium,* [10]*uel se* ex corde pro culpa *paenitens humiliauerit* et ueniam erroris sui omnibus praesentibus petierit. [11]Quod si in fratrem peccauit, etiam ab eo fratre ueniam petat, cui iniuriam fecit.

31 (*Co* 42, 19), 1 uerbum *F*ac ‖ frater : fratrum *hacgk*

32 (*Co* 30, 14), 3 *tot. om. hacgk* ‖ Qui : quod *KFm* ‖ 5 quidem *om. m* ‖ in psallendi *om. F*ac*m* ‖ facultas ei *transp. m* ‖ 7 abstineat *Fm* ‖ 8 colloquatur *A*[2]*K·mhacgk* ‖ 9 abstinebit *Fm* ‖ ac : uel *m* ‖ 10 penitens *AKF* ‖ prensentibus *K* ‖ 11 peccauerit *m*

31 2RP 10 ‖ **32**, 3-5 2RP 43-44 ‖ 7 et 9-10 2RP 28 ‖

31, 1. Cf. 1, 4 *(sine consilio et auctoritate).*

32, 1-4. Instances successives comme dans Mt 18, 15-17. Cf. *RM* 12-14.

2. *Paucis senioribus* : non les *duo seniores* (2, 1), mais quelques anciens pris dans un groupe plus large.

3. Phrase omise dans les éditions imprimées (saut du même au même). Elle complique encore une procédure étonnamment longue. Cf. *RB* 23-30.

4. Excommunication et privation de nourriture : RMac 26, 2.

5. Cf. 2RP 17 : *in ordine psallendi.*

31. Sans autorisation verbale des anciens, aucun frère ne fera rien, [2]ni ne recevra ou ne donnera quoi que ce soit, [3]ni ne se rendra nulle part absolument.

32. Quand on découvrira une faute, celui qu'on aura trouvé fautif sera repris par l'abbé en privé. [2]Si cela ne suffit pas à l'amender, il sera repris par quelques anciens. [3]Si même cela ne l'amende pas, on le grondera devant tout le monde. [4]Si même alors il ne s'amende pas, il sera excommunié et privé de toute nourriture. [5]Si même cela ne lui fait pas de bien, il sera rétrogradé, quel que soit son rang, à la dernière place dans l'ordre de la psalmodie. [6]S'il persiste dans sa méchanceté, on lui ôtera jusqu'au droit de psalmodier. [7]Si même cette humiliation ne l'émeut pas, on le tiendra à l'écart de la communauté des frères, [8]en lui interdisant aussi bien la table que l'office, ainsi que toute conversation avec un frère non gradé. [9]Cette mise à l'écart durera aussi longtemps que la nature de sa faute l'exige, selon le jugement de l'abbé et des anciens, [10]et qu'il ne se sera pas humilié en faisant pénitence pour sa faute de tout son cœur et en demandant pardon devant tous pour son égarement. [11]En outre, s'il a péché contre un frère, il demandera pardon à ce frère qu'il a offensé.

---

8. *Mensae... missae* comme dans *Reg. cui.* 16, 1 (*iuxta missam et mensam*). Cette *Regula cuiusdam* suit ROr dans le *Codex* de Benoît d'Aniane et peut se rattacher à Luxeuil, qui appartient au diocèse de Besançon comme Condat. — Double excommunication : *RM* 13, 62 ; *RB* 25, 1. Interdiction de parler à l'excommunié : CASSIEN, *Inst.* 2, 16 ; RIVP 5, 3 ; *RM* 13, 54 ; *RB* 26, 1-2.

9. Les *seniores* sont associés au supérieur (cf. 32, 1-2), comme ils lui étaient substitués plus haut (31, 1). Dans RMac 12, 3, *senioris* remplace *praepositi* (2RP 28).

10. Cf. CASSIEN, *Inst.* 2, 16 ; RMac 26, 3. *Erroris* annonce 33, 1 (2RP 30).

11. Voir CÉSAIRE, *Reg. uirg.* 34 ; *Reg. mon.* 13.

33. *Si quis errori eius consenserit* et secundum duritiam illius magis consilium dederit, ut se tardius humiliet, [2]*sciat se, cum* in hoc errore *fuerit deprehensus,* simili modo *culpabilem iudicandum.*

34. *Hoc etiam addendum fuit ut frater qui pro qualibet culpa arguitur uel increpatur patientiam habeat et non respondeat arguenti* se, *sed humiliet se in omnibus* et emendet.

35. Si uero fuerit aliquis tam durus et tam alienus a timore Domini, ut tot castigationibus et tot remissionibus non emend*et*, proiciatur de monasterio et ueluti *extraneus habeatur,* ne uitio ipsius alii periclitentur.

36. *Quod si aliquis locutus fuerit uel riserit in uescendo, increpetur et agat paenitentiam.*

37. *Si quis ad* manducandum *tardius uenerit* absque *maioris imperio, similiter agat paenitentiam aut ad* cellam suam *ieiunus reuertatur.*

38. *Si aliquid necessarium fuerit in mensa, nemo audebit*

35 (*Co* 37, 10) uero *om. Fm* ‖ et[1] *om. m* ‖ ueluti : uel *AK* uelut *hacgk*
36-37 (*Co* 47, 12) penitentiam *(bis) AK*
38 (*Co* 47, 12), 1 fuerit necessarium *transp. m*

33, 1 2RP 30 ‖ 2 2RP 35 ‖ **34** 2RP 40 ‖ **35** 2RP 44.
36-37 PACHÔME, *Praec.* 31-32 ‖ **38,** 1 *Praec.* 33 ‖

33, 1. Cf. CASSIEN, *Inst.* 2, 16. Pas de « cellules » et de « monastère » (2RP 30).
2. Utilisation de 2RP 35 comme plus haut (24, 4), avec le même ajout *(in hoc errore). Simili modo* : cf. *similiter* (2RP 30 selon E_1[pc]).

33. Si quelqu'un se solidarise avec son égarement et, l'encourageant dans son endurcissement, lui donne même le conseil de ne s'humilier que plus tard, ²qu'il sache que, pris en un tel égarement, il sera tenu pour coupable au même degré.

34. Il faut encore ajouter ceci : un frère repris ou réprimandé pour une faute quelconque doit garder la patience et ne pas répondre à celui qui le reprend, mais s'humilier en tout et s'amender.

35. Mais si quelqu'un se montre tellement endurci et réfractaire à la crainte de Dieu qu'après tant de châtiments et de sursis il ne s'amende pas, on le chassera du monastère et on le traitera en étranger, de peur qu'il ne mette d'autres en danger par sa méchanceté.

36. Si quelqu'un parle ou rit à table, il sera repris et fera pénitence.

37. Si quelqu'un arrive en retard au repas sans être excusé par un ordre du supérieur, il fera pénitence de même, ou bien il retournera dans sa cellule sans avoir mangé.

38. Si l'on a besoin de quelque chose à table, personne ne

---

34. Addition de *se* comme dans RMac 16, 3 (dittographie ?). *Humiliet se... et emendet* rappelle 2RP 28 (*se... humiliauerit atque emendauerit*).

35. Cf. 32, 3-4 (2RP 44). *Proiciatur de monasterio* : *RB* 62, 10 (conditionnelle analogue). *Ne—periclitentur* (cf. 22, 3 ; 25, 7) remplace Mt 18,17, omis comme toutes les citations (30, 2 ; 31, 1 ; 34).

36. Cf. 2RP 46. Pachôme : *... aget (agat) paenitentiam et in eodem loco protinus increpabitur (increpetur)...* Cf. 45 et note.

37. *Manducandum* pour *comedendum* (cf. 4, 2 et note). *Absque* pour *excepto* (Introd., chap. II, n. 26-27). *Cellam suam* pour *domum* (16, 1 et note).

loqui, sed ministrantibus signum soni *dabit.* [2]*Ministri* uero *absque his quae in commune fratribus praeparata sunt, nihil aliud comedant, nec mutatos cibos sibi audeant praeparare.*

39. *Nemo plus alteri dabit quam alter accep*it. [2]*Quod si obtenditur infirmitas, praepositus domus perget ad ministros aegrotantium et his quae necessaria sunt accipiet.*

40. *Quando ad ostium monasterii aliqui uenerint, si clerici fuerint aut monachi, maiori honore suscipientur,* [2]*lauabuntque pedes eorum iuxta euangelii praeceptum et praebebunt eis omnia quae apta sunt usui monachorum.*

41. *Si quis* ad *ostium monasterii* uenerit, *dicens uelle se uidere fratrem suum uel propinquum, ianitor nuntiabit* abbati, *et permittent*em *eum accipiat comitem cuius fides probata est,* [2]*et sic mittetur ad fratrem uidendum uel proximum.*

42. *Si propinquus alicuius mortuus fuerit, prosequendi funus non habebit licentiam, nisi pater monasterii praeceperit.*

soni signum *transp. Fm* ‖ 2 praeparata : prep- *A* parata *m* ‖ preparare *AK*

39 (*Co* 47, 12), 2 praepositus *A* ‖ et his : et ab eis *m** et ab his *hgk* ab his *ac*

40 (*Co* 71, 2), 2 maiore *A*ᵃᶜ ‖ suscipiantur *Fm* ‖ 2 prebebunt *AK*

41 (*Co* 71, 2), 2 ad : quod *h*ᵗᵃᶜ ‖ permittentem eum : permittente eum *Fm* permittente eo *A*²*ut uid. Khacgk*

2 *Praec.* 35 ‖ **39,** 1-2 *Praec.* 39-40 ‖ **40,** 1-2 *Praec.* 51 ‖ 2 Jn 13, 14-15 ‖ **41** *Praec.* 53 ‖ **42** *Praec.* 55 ‖

38, 1-2. *Soni* pour *sonitu. Vero* ajouté. Maintien de *comedant* (cf. 4, 2 et note).

39, 1. *Accepit* pour *acceperit* (var. : *accipit*).

2. *Praepositus domus* est, pour une fois, maintenu (« maison » = monastère). *His* pour *ab his.*

40, 2. Omission de *deducent ad locum xenodochii* après *et,* et de *-que* après *praebebunt.* On trouve *xenodochium* dans *V. Patr. Iur.* 28, 11 (hôtellerie ?) et 170, 3 (dortoir).

se permettra de parler, mais on appellera les servants par un signal sonore.
    [2]Quant aux serviteurs, ils ne prendront rien d'autre que ce qui a été préparé pour tous les frères en commun, et ils ne se permettront pas de se préparer des plats différents.

39. Personne ne donnera à l'un plus que n'a reçu l'autre. [2]Quand des sujets se plaignent d'être malades, le préposé à la maison ira trouver les serviteurs des malades et en recevra ce qu'il leur faut.

40. Quand des personnes se présentent à la porte du monastère, si ce sont des clercs ou des moines, on les recevra avec des honneurs spéciaux. [2]On leur lavera les pieds selon le précepte de l'Évangile, et on mettra à leur disposition tout ce qui convient à des moines.

41. Si quelqu'un se présente à la porte du monastère, disant qu'il veut voir son frère ou son parent, le concierge l'annoncera à l'abbé. Avec la permission de celui-ci, le sujet recevra pour compagnon un frère de foi éprouvée, [2]et ensuite on l'enverra voir son frère ou son parent.

42. Si un parent de quelqu'un vient à mourir, il ne lui sera pas permis d'aller à ses funérailles, à moins que le père du monastère ne le lui commande.

41, 1. Pachôme : *Si quis ad ostium steterit monasterii...* Ensuite, *abbati* pour *patri monasterii,* suivi de *et ille accitum interrogabit praepositum domus utrumnam apud eum sit.* ROr supprime cette mention de « maisons » particulières comme en 21, 1 et 37 (cf. Introd., chap. I, n. 20). *Permittentem eum :* accusatif absolu (cf. 24, 3) pour l'ablatif (*eum* est déjà dans un ms. de Pachôme). *Egressionis suae* omis après *comitem.* Ce « compagnon à la foi éprouvée » diffère-t-il des anciens dont la présence était requise en 26, 40 ?

42. Après *alicuius,* omission de *et consanguineus.*

43. *Nullus de orto tollat holera, nisi ab ortolano acceperit.*

44. *Nemo alteri loquatur in tenebris.* [2]*Nullus in psiatho cum altero dormiat.* [3]*Manum alterius nemo teneat, sed siue steterit, siue ambulauerit, siue sederit, uno cubito distet ab altero.*

45. *Si quis tulerit rem non suam, ponetur super humeros eius, et sic ag*at *paenitentiam publice in collecta.*

46. Si praepositus *iniuste iudicauerit, iniustitiae ab aliis condemnabitur.*

47. *Qui consentit* peccatis *et defendit alium delinquentem, maledictus erit apud Deum et homines, et corripietur increpatione seuerissima.*

EXPLICIT REGVLA ORIENTALIS

---

43 (*Co* 71, 2) horto *Fmhacgk* || olera *A*[pc] *(forte A*[2]*) Kmhacgk* || ortolano : hort- *F* hortulano *mhacgk*

44 (*Co* 51, 5), 2 Nullus *om. m* || 3 manus *m* || ab altero *om. m*

47 (*Co* 74, 8) saeuerissima *A*

43 *Praec.* 71 || **44,** 1-2 *Praec.* 94-95.

45 PACHÔME, *Inst.* 8.

46 PACHÔME, *Iud.* 14 || **47** *Iud.* 16.

43. Nul ne prendra des légumes au jardin, s'il ne les a reçus du jardinier.

44. Personne ne parlera à un autre dans l'obscurité. [2]Nul ne dormira sur une natte avec un autre. [3]Personne ne prendra la main d'un autre, mais debout, en marche ou assis, on mettra une coudée de distance entre soi et l'autre.

45. Si quelqu'un prend un objet qui n'est pas à lui, on le lui mettra sur les épaules, et il fera ainsi pénitence en public à la réunion.

46. Si le préposé juge injustement, il sera condamné par les autres pour injustice.

47. Celui qui se solidarise avec des manquements et défend un délinquant, sera maudit de Dieu et des hommes et recevra une réprimande très sévère.

FIN DE LA RÈGLE ORIENTALE

44, 1. Répète 8, 1.

45. *Sic agat* pour *aget*. A la fin, omission de *stabitque in uescendi loco* : plus de satisfaction au réfectoire (cf. 36).

46. *Si praepositus* pour *Qui* (cf. Introd., chap. I, n. 33). Abus du prévôt : voir 16 et 21 (cf. 3, 3 ; 17, 45).

47. *Peccatis* pour *peccantibus*. Soutien donné au fautif : cf. 33. L'Orientale s'achève sur une note sévère.

TROISIÈME RÈGLE DES PÈRES

INTRODUCTION

CHAPITRE I

Analyse du texte et inventaire des sources

Les trois ingrédients   A peine plus longue que la
Deuxième Règle des Pères[1], la
Troisième Règle ne provient pas directement de celle-ci, mais
de la Règle de Macaire, dont elle incorpore une portion
proche du quart[2]. Ces emprunts à Macaire, qui forment un
peu moins des deux cinquièmes de sa substance[3], sont
combinés avec des textes provenant de conciles gaulois de la
première moitié du VIᵉ siècle : Agde (506), Orléans I (511) et
Orléans II (533). Enfin quelques passages originaux s'insèrent çà et là entre ces remplois.

Vue d'ensemble   Avant d'examiner en détail
ces trois composantes, prenons
une vue d'ensemble de l'opuscule. Après une brève entrée en
matière, qui évoque leur réunion en synode et la lecture

---

1. Dans l'édition de Migne, 2RP occupe 96 lignes, et 3RP occupe 100 lignes.

2. Dans notre texte préparatoire, 3RP reproduit environ 24 lignes, sur les 109 que compte RMac.

3. Dans notre texte préparatoire, les emprunts à Macaire occupent environ 21 lignes, sur les 52 que compte 3RP.

préalable des écrits des Pères, les auteurs commencent par
régler l'admission des postulants : ceux-ci doivent accepter la
règle qu'on leur aura lue et mettre en commun tous les biens
qu'ils apportent (1). Cette exigence de désappropriation totale
est ensuite étendue à l'abbé, sous peine de déposition (2), et
complétée par un article spécial sur les vêtements, conformes
à l'état monastique, que l'abbé doit fournir aux frères (3).

A cette première section, centrée sur la pauvreté religieuse,
succède un article unique, mais relativement long, sur la
sauvegarde de la chasteté (4). Toute familiarité avec les
femmes est exclue, ainsi que la fréquentation des moniales
par les moines. Défense est faite à toute femme de pénétrer à
l'intérieur du monastère. L'abbé qui laisserait transgresser ce
dernier point est menacé de déposition, comme précédemment.

Suit l'emploi du temps bien connu : lecture jusqu'à la
deuxième heure, sauf nécessité de travail commun, et travail
ensuite, dans l'obéissance, jusqu'à none (5). Cependant le
travail doit être interrompu immédiatement quand résonne le
signal de l'office (6). Conclue par un article sur le silence à
table, où la parole est réservée à celui qui préside (7), cette
section roule en somme sur l'obéissance, tant à l'égard de
l'observance régulière que des injonctions des supérieurs.

La section suivante traite des sorties et des absences. Pour
éviter que les frères envoyés au dehors se comportent mal, on
les enverra à deux ou trois, en les choisissant bien (8). Tout
sortant qui se tient mal sera puni d'excommunication ou de
coups (9). Quant à la sortie définitive de l'apostat, on la flétrit
en lui donnant des habits ridicules et en le laissant partir sans
communion (10). Les abbés sont invités à ne pas s'absenter
du réfectoire commun, où l'on compte sur eux pour exhorter
les frères (11), et l'on interdit aux moines malades de
retourner dans leur famille pour se faire soigner (12).

Deux questions sont traitées pour finir. D'abord la
punition du vol, délit énorme qui est sanctionné par rapport à
la cléricature : si le coupable n'est pas encore clerc, il ne
pourra jamais le devenir, et s'il l'est déjà, il sera privé de cette
dignité (13). Ensuite, le cas du moine qui veut passer d'un

monastère à un autre : son abbé doit l'y autoriser au préalable, et une fois son transfert accompli, il ne peut plus sortir sous aucun prétexte (14, 1-3). Enfin une phrase de conclusion place toutes ces prescriptions sous la garde de Dieu et des frères (14, 4-5).

Quelques traits   Un des traits les plus intéres-
saillants   sants de cette petite législation
est de présenter successivement, dans ses trois premières sections, les trois renoncements qui formeront, un demi-millénaire plus tard, la triade des « vœux de religion » : pauvreté, chasteté, obéissance. Avec le *Liber Orsiesii*[4], la Troisième Règle des Pères est un des très rares documents anciens qui esquissent, consciemment ou non, ce schéma destiné à devenir classique.

Dans son ensemble, l'opuscule fait penser à la *Regula Orientalis* par son absence de références scripturaires. Totalement dépourvu de citations explicites, c'est à peine s'il fait écho à l'Écriture par l'une ou l'autre de ses expressions[5]. Non biblique, il est aussi non spirituel. La vie monastique y est considérée de l'extérieur, d'un point de vue purement disciplinaire. De la Règle de Macaire, les auteurs ont négligé toutes les notations spirituelles et les exhortations adressées aux individus, pour ne retenir que des points d'observance commune. Leur propos est bien celui des conciles, dont ils s'inspirent si largement : porter remède à quelques abus et sanctionner des manquements précis, sans guère se soucier de fournir des directives positives et des aperçus généraux.

Un autre trait saillant de la Troisième Règle est sa forte empreinte cléricale. L'abbé coupable d'appropriation doit être dénoncé à l'évêque et puni par lui (2, 3-4). L'abbé qui laisse entrer une femme est mis au dernier rang des

---

4. Horsièse, *Liber* 19-20 (obéissance et chasteté) et 21-23 (pauvreté). Cf. notre recueil d'articles *Autour de saint Benoît,* Bellefontaine 1975 (Vie monastique 4), p. 111, n. 2.

5. Ainsi *laqueos diaboli* (3RP 4, 1) ; cf. 1 Tm 3, 7.

prêtres (4, 3). Le moine voleur se voit interdire la cléricature ou priver de celle-ci (13, 2-5). Ces diverses sanctions supposent un monachisme profondément engagé dans les institutions ecclésiastiques : monastères contrôlés par les évêques, abbés-prêtres, moines répartis entre clercs et non-clercs.

Ce trait apparaîtra mieux encore quand nous verrons comment notre règle utilise les canons conciliaires. Dès à présent, il apparaît que la Troisième Règle est une œuvre épiscopale. Quelques évêques réunis en synode s'y sont occupés de la vie monastique avec les préoccupations et les méthodes caractéristiques des conciles.

Les emprunts à Macaire   Le premier document qu'ils mentionnent dans leur préambule est une *regula* (1, 1), qui pourrait être celle de Macaire. En effet, l'article initial qui suit immédiatement (1, 3-7) est tiré de la *Regula Macarii*. Sa reproduction est exacte et sans variante. Seule la place de l'article est changée : situé vers la fin de l'œuvre macarienne (RMac 23-24), il vient ici tout au début. Rien de plus naturel, puisqu'il traite de l'entrée au monastère. Cette façon de commencer par le commencement n'est pourtant pas universelle dans les règles anciennes. Ni Pachôme[6], ni Basile, ni Augustin, ni les Quatre Pères et leurs épigones, ni le Maître et Benoît ne débutent ainsi. Le premier auteur bien daté qui commence par là est Césaire, dans l'une et l'autre de ses règles[7]. Retenons dès à présent cette analogie de la Troisième Règle avec l'œuvre du grand évêque d'Arles.

A la différence de cet article isolé et déplacé, les autres emprunts à Macaire forment une séquence. Ce sont d'abord

---

6. Les premiers *Praecepta* de celui-ci traitent sans doute de l'entrée du nouveau frère en communauté, mais les formalités d'admission, qui précèdent cette introduction dans la vie commune, ne seront prescrites que plus loin (*Praec.* 49).

7. CÉSAIRE, *Reg. uirg.* 2-6 ; *Reg. mon.* 1. Il en sera de même chez Aurélien et dans la *Tarnantensis*.

les prescriptions sur l'emploi du temps, l'exactitude à l'office et le silence à table (3RP 5-7), puis la règle des sorties (3RP 8), enfin l'article sur le départ de l'apostat (3RP 10). Dans cette séquence, on trouve bien deux interruptions — la sanction pour retard à l'office (3RP 6, 2-3) et celle qui punit la mauvaise tenue à l'extérieur (3RP 9) —, mais ces deux passages, l'un susbstitué, l'autre intercalé, se rattachent si étroitement au texte macarien qu'ils n'en brisent pas la continuité. Celle-ci est d'autant plus nette que les articles de Macaire se succèdent avec des lacunes, certes, mais en bon ordre (RMac 10-11 ; 14 ; 18 ; 22 ; 28).

La plus grande partie de la Troisième Règle est donc structurée par ces emprunts à Macaire. Ce sont eux qui fournissent le début de la section sur la pauvreté, puis presque toute la section sur l'obéissance, enfin le début et le milieu de la section sur les sorties. Réminiscences conciliaires et textes propres s'agrègent autour de cet axe central constitué par la Règle de Macaire. Si la *regula* mentionnée en premier dans le préambule est bien la *Regula Macarii*[8], elle mérite cette priorité : de fait, Macaire joue un rôle primordial dans l'organisation de la Troisième Règle.

Les emprunts au concile d'Agde
Après cette source majeure, celle qui a le plus influé sur notre règle est le concile d'Agde (506). On en trouve la marque dès le préambule, qui imite visiblement l'exorde des actes conciliaires :

Agde (*Praef.*-1)	3RP 1, 1-2
Cum in nomine Domini in ciuitate Agatensi *conuenissemus,* in sancti Andreae basilica consedimus, de disciplina et ordinationibus clericorum atque pontificum uel de	*Cum in nomine Domini* una cum fratribus nostris *conuenissemus,*

---

8. On peut en douter, puisque, dans 3RP 4, 1, *sicut regula docet* paraît renvoyer à Agde, can. 10. Cependant, en 3RP 2, 3, *quod in regula iunioribus prohibetur* peut faire allusion à RMac 23-24, qui vient d'être cité.

ecclesiarum utilitatibus tractaturi.
In primo id *placuit, ut* canones *et* statuta *patrum per ordinem legerentur ; quibus lectis placuit...*

in primo placuit ut regula *et* instituta *patrum per ordinem legerentur. Quibus lectis placuit :*

Le texte conciliaire que nous reproduisons n'est pas le plus ancien[9], où la première phrase est plus que doublée par un hommage au roi Alaric, mais une rédaction secondaire, expurgée de cette référence au souverain wisigoth[10]. Que cet abrègement du préambule d'Agde ait effectivement servi de modèle à notre règle, on en a la preuve dans le fait que celle-ci porte comme lui *conuenissemus,* alors que la forme longue et primitive des actes avait les mots *sancta synodus conuenisset.*

Même sous cette forme abrégée, le texte conciliaire est encore bien plus long que la Troisième Règle. Celle-ci a poursuivi l'abrègement en supprimant non seulement les indications de lieu (cité d'Agde, basilique de saint André), mais encore la phrase qui définissait l'objectif du concile (*de disciplina... tractaturi*). A la place des précisions locales, on ne trouve plus qu'un vague « avec nos frères », auquel fera écho la sanction finale empruntée à Orléans II (3RP 14, 5 : *fraternitatis*). Quant à l'objectif clérical du concile, il n'a pas été remplacé par un équivalent monastique. Seul le mot *regula,* substitué à *canones,* fait peut-être allusion au document monastique qu'est la *Regula Macarii,* tandis que les *instituta patrum* ne désignent guère autre chose que les *statuta patrum* dont parlait Agde, à savoir des textes ecclésiastiques antérieurs[11].

---

9. Voir *Concilia Galliae (314-506),* éd. C. MUNIER, *CC* 148, p. 192 (colonne de gauche).

10. *Ibid.,* colonne de droite.

11. De fait, Agde remploie souvent Vaison (442), Vannes (461-491), les *Statuta Ecclesiae antiqua,* etc. Ces derniers seraient-ils précisément les *statuta patrum* lus à Agde ? En ce cas, les *instituta patrum* de 3RP en différeraient quelque peu, puisque notre règle n'utilise, avec la *Regula Macarii,* que des canons conciliaires.

Au total, cette adaptation du préambule d'Agde a pour
effet de plonger la Troisième Règle dans un brouillard aussi
opaque que celui qui enveloppait la Règle des Quatre Pères
et la Seconde Règle. Comme ses devancières, cette petite
législation refuse de dire d'où elle vient. Nous verrons
toutefois qu'elle se laisse situer et dater de façon assez précise
et probable.

Après ce remploi initial très voyant, notre règle fait aux
actes d'Agde une demi-douzaine d'emprunts, dispersés sur
toute sa longueur et parfois ténus :

AGDE	3RP
20 : *uestimenta* uel calceamenta etiam eis (= clericis) nisi *quae* religionem *deceant*, uti uel habere non liceat.	3, 1 : *Vestimenta* uero fratribus necessaria ita abba omnibus ordinare debet *quae* monachis *deceant*.
10 : Id etiam ad *custodiendam uitam* et famam speciali ordinatione praecipimus, ut nullus clericorum *extraneae mulieri* qualibet consolatione aut *familiaritate* iungatur... nec ipse *frequent*andi ... habeat potestatem.	4, 1 : *Familiaritat*em omnium *mulier*um tam parentum quam *extrane*arum pro *custodiendam uitam* uel cauendos laqueos *diaboli ab* omnia *monasteri*a uel culturolas *monachorum*, seu *frequent*ationem *monachorum* ad *monasteri*is *puellarum*, sicut regula docet, prohibere censemus.
28. *Monasteria puellarum* longius *a monasteri*is *monachorum*...propter insidias *diaboli*...collocentur.	
41 : Ante omnia clericis uetetur *ebrietas*...Itaque eum quem ebrium fuisse constiterit, *ut* ordo patitur, *aut triginta die*rum spatio *a communione* statuimus submouendum, *aut* corporali subdendum supplicio.	9, 1-3 : Si quis...egressus...*ebriet*ati se sociauerit..., cum in id facinus fuerit detectus, *ut* canones docent, *aut triginta die*bus *a communione* separetur, *aut* uirgis caesus emendetur.
10 : *Id etiam* ad *custodiendam* uitam et *famam speciali* ordinatione praecipimus, *ut nullus* clericorum...	12, 1-3 : *Id etiam* pro *custodiendam famam special*iter statuimus, *ut nullus* monachus in infirmitate positus relicto monasterio parentum suorum pro studio commendetur, quia magis eum saecularium *spectaculorum* uisu aut *auditu* *poll*ui censemus, quam ab aegritudine posse purgari.
39 : Presbyteri...nuptiarum euitent conuiuia...ne *audit*us et obtutus sacris mysteriis deputatus turpium *spectaculorum* atque uerborum contagio *poll*uatur.	

5 : *Si quis clericus furtum* ecclesiae *fecerit*[12], peregrina ei communio tribuatur.

27[c] : *Monachum nisi abbatis sui aut permissu aut uoluntate ad alterum monasterium commigrantem nullus abba suscipere aut retinere praesumat...*

13, 1-4 : *Si quis* uero monachus *furtum fecerit...si* uero iam *clericus* in id facinus fuerit deprehensus...

14, 1 : *Monachum nisi abbatis sui aut permissu aut uoluntate ad alterum monasterium commigrantem nullus abba* aut *suscipere aut retinere praesumat.*

Massif et littéral, ce dernier emprunt ressemble au premier, et il nous rassure au sujet des points de contact moins éclatants que nous avons relevés dans l'entre-deux. Puisque la Troisième Règle cite indubitablement les actes d'Agde en son début et sa fin, ses moindres ressemblances avec eux ont toute chance d'être de véritables réminiscences[13].

A considérer l'ensemble de ces remplois, le fait le plus frappant est la transposition habituelle du registre clérical à celui de la vie monastique. Qu'il s'agisse des vêtements, des relations avec les femmes, de l'ivrognerie, de la « souillure des spectacles » ou du vol, la Troisième Règle applique constamment aux moines ce que le concile disait des clercs[14]. Dans deux cas seulement — les relations avec les moniales et les changements de monastère —, le texte conciliaire visait déjà les moines. Partout ailleurs, il parlait du clergé.

Que les auteurs de notre règle se soient approprié ces prescriptions cléricales, c'est là un fait d'autant plus remarquable que le concile avait porté plusieurs décrets pour les moines, qui sont ici laissés de côté[15]. Au lieu de recueillir

---

12. Cf. Orléans III (538), can. 9 : *Si quis clericus furtum aut falsitatem admiserit...,* dont la formulation est moins proche de 3RP.

13. En outre, l'usage certain que notre règle fait des canons d'Agde nous dispense de remonter aux conciles antérieurs reproduits par Agde. Ainsi Vannes, can. 13, reproduit par Agde, can. 41, encore que *ut canones docent* (3RP 9, 3) puisse faire allusion à cette prescription répétée d'un concile à l'autre.

14. Même dans le cas du vol, on passe du clerc séculier (Agde, can. 5) au moine, qu'il soit non clerc ou clerc (3RP 1-4).

15. Agde, can. 27[a] (fondation de monastères) ; 27[b] (ordination de moines errants) ; 27[d] (ordination d'un moine pour son monastère) ;

dans les actes d'Agde tout ce qui concernait les moines, la Troisième Règle n'en a donc retenu qu'une petite partie, tandis qu'elle puisait largement dans ce qui concernait les clercs. Cette observation confirme ce que nous avons relevé plus haut : notre règle a en vue un monachisme profondément cléricalisé, où l'on passe des clercs aux moines sans presque s'en apercevoir.

Au reste, avec une certaine tendance à simplifier la forme et à abréger[16], notre règle fait preuve d'une extrême souplesse dans l'usage du document conciliaire. Elle traite celui-ci tout autrement que la Règle de Macaire. Il n'est plus question de recopier des phrases en bon ordre, les unes à la suite des autres et à peu près telles quelles. Les réminiscences des canons d'Agde surgissent çà et là, sans ordre ni suite. Souvent elles se réduisent à quelques mots éparpillés dans un contexte nouveau. A deux reprises, des canons fort distants sont amalgamés. Inversement, le même canon 10 est remployé en deux passages différents. Cette aisance et cette liberté contrastent avec l'utilisation suivie, consciencieuse, appliquée de la Règle de Macaire. On dirait que le rédacteur lit et recopie cette dernière, tandis qu'il a en mémoire les actes conciliaires et en use comme d'un texte familier[17].

Par deux fois, la Troisième Règle paraît même se référer formellement, sous le nom de *regula* et de *canones,* à ces canons d'Agde[18]. Pour elle, ils sont « la règle » et « les canons » par excellence. De fait, elle utilise Agde bien plus que les deux conciles d'Orléans dont il nous reste à parler.

38[b](moines errants) ; 38[c] (cellules solitaires) ; 38[d] (un seul monastère pour chaque abbé).

16. Comparer *dierum spatio* avec *diebus,* et *statuimus submouendum* avec *separetur* (Agde, can. 41 et 3RP 9, 3) ; *speciali ordinatione* avec *specialiter* (Agde, can. 10 et 3RP 12, 1). Il en était déjà de même dans le Préambule.

17. Ce contraste rappelle l'Orientale, qui recopie Pachôme et utilise librement 2RP.

18. Voir 3RP 4, 1 (*sicut regula docet* ; cf. n. 8) et 9, 3 (*ut canones docent* ; cf. n. 13).

Le premier concile   Du premier de ceux-ci, on ne
d'Orléans (511)   trouve dans notre règle qu'un
seul écho bien net : la sanction
infligée au moine coupable de vol. Encore faut-il noter que
cette exclusion de la cléricature frappait, dans le canon
d'Orléans, un délit différent, celui d'apostasie :

ORLÉANS I, canon 21	3RP 13, 1-3
*Monachus si...*uxori fuerit sociatus, *tant*ae praeuaricationis *reus numquam* ecclesiastici gradus *officium* sortiatur.	*Si* quis uero *monachus* furtum fecerit..., iunior uirgis caesus *tant*i criminis *reus numquam officium* clericatus excipiat.

Cette différence dans les délits en entraîne une autre, qui
affecte la peine elle-même. Le moine marié, que visait le
concile, était déclaré indigne d'entrer dans le clergé *séculier,*
même à titre de clerc mineur non astreint au célibat. Le
moine voleur, dont parle la Troisième Règle, ne pourra être
promu à la cléricature *au sein de sa communauté,* dont il
reste membre après comme avant sa faute. Dans son cas,
d'ailleurs, la peine des verges, typiquement monastique en
l'occurrence[19], s'ajoute à cette inhabilitation aux ordres.

Quant à la rédaction, notre règle montre à nouveau sa
tendance à abréger : *ecclesiastici gradus* devient *clericatus*[20],
tandis que *criminis* remplace *praeuaricationis.* D'un cursus
uelox (*officium sortiatur*), on passe ainsi, dans l'apodose, à
un cursus tardus (*clericatus excipiat*). Si la même élégance ne
se retrouve pas dans la protase, où un autre cursus velox
(*fuerit sociatus*) devient l'informe *furtum fecerit,* c'est que

---

19. Cf. CÉSAIRE, *Reg. uirg.* 26 ; FERRÉOL, *Reg.* 39 ; *RM* 14, 87, qui
emploient tous des termes différents. Voir aussi PACHÔME, *Reg. breuis*
121 (ajout à *Inst.* 8, p. 55 Boon = *PL* 50, 299 b : 39 coups pour vol).
Dans 3RP 9, 3, on retrouve *uirgis caesus,* mais en contraste avec une
peine spirituelle, non ajouté à celle-ci, conformément au modèle d'Agde,
can. 41. D'après ce canon, les clercs mineurs peuvent aussi être battus,
mais pour ébriété, non pour vol.

20. On trouve déjà *officium clericatus* dans Agde, can. 27[b] (ligne 242).

probablement, comme on l'a vu, la Troisième Règle reproduit là une formule d'Agde. D'un bout à l'autre de la règle, hormis certaines citations telles que celles de Macaire, les clausules rythmiques sont, comme dans les textes conciliaires pris pour modèles, l'objet d'un soin à peu près constant[21].

Outre l'abrègement, on retrouve ici deux autres traits déjà observés à propos des canons d'Agde : la souplesse de l'utilisation et son éclectisme. Une sanction tirée de son contexte est tout ce que la Troisième Règle emprunte clairement à ce premier concile d'Orléans, qui avait porté maint décret concernant les moines[22].

Le deuxième concile d'Orléans (533) Orléans II est utilisé de façon plus abondante, mais de nouveau dans la zone restreinte des deux derniers paragraphes :

ORLÉANS II	3RP
14 : *Clerici* qui officium suum implere despiciunt... loci sui *dignitate priuentur*.	13, 4-5 : si uero iam *clericus* in id facinus fuerit deprehensus[23], nominis ipsius *dignitate priuetur. Cui sufficere* potest *pro actus sui leuitate impleta paenitenti*ae *satisfactione communio.*
8 : ... *Cui sufficere* debet *pro actus sui leuitate impleta paenitenti*a pro *satisfactione communio.*	
21 : *Sane si qui post hanc diligentissimam sanctionem non obserua*uerint *quae sunt superius comprehensa, reos se diuinitatis pariter et fraternitatis iudicio futuros esse cognoscant.*	14, 4-5 : *Sane si quis post hanc diligentissimam sanctionem non obserua*re *quae sunt superius comprehensa* praesumpserint, *reos se diuinitatis pariter et fraternitatis iudicio futuros esse cognoscant.*

---

21. Font exception 3RP 6, 2-3 (cf. 9, 1).

22. Orléans I, can. 19-20 et 22. Cf. can. 7 ; 23 ; 30. En 3RP 2, 4-5, il n'y a qu'un écho lointain d'Orléans I, can. 19[a] (correction de l'abbé par l'évêque).

23. Sur cette formule césairienne de Marseille (533), voir ci-dessous, n. 37.

Cette fois, la transcription quasi littérale de presque tout le texte rappelle le premier et le dernier emprunt à Agde. Comme dans son utilisation d'Agde encore[24], mais surtout dans celle d'Orléans I, la Troisième Règle applique au moine-clerc ce que le concile disait du clerc séculier : on passe ainsi des clercs qui négligent leur office et du diacre qui s'est marié en captivité — tel était le délit frappé par le canon 8 d'Orléans[25] —, au moine voleur déjà engagé dans la cléricature. Et comme elle avait pris à Agde sa formule initiale, notre règle emprunte à Orléans II sa formule de conclusion.

Cette utilisation d'Orléans II est à peine moins éclectique que celle des deux conciles précédents. Des passages où le concile s'occupait des abbés[26], aucun n'a été retenu par notre petite règle monastique, alors qu'elle s'approprie des prescriptions concernant le clergé séculier et une sanction finale de caractère général.

Les éléments originaux   Quand on a ainsi décelé tout ce que le rédacteur prend manifestement à Macaire et aux conciles, il reste peu de chose qui paraisse tiré de son propre fonds. Ces passages franchement originaux ou presque tels[27] sont d'abord l'interdiction faite aux abbés de s'approprier quoi que ce soit, sous peine de sanctions épiscopales et de déposition (2, 1-5), puis la prescription sur la couleur des vêtements, placée également sous la responsabilité de l'abbé (3, 1-2), et la punition de l'abbé qui laisse entrer les femmes (4, 2-5) ; ensuite l'obligation faite aux abbés de manger avec les frères (11, 1-2) et la défense de

---

24. Voir ci-dessus, n. 14.

25. La phrase précédente de ce canon interdit tout ministère au coupable (*ab officii omnino ministerio remouendus est*), ce qui revient à le « priver de sa dignité ».

26. Orléans II, can. 13 et surtout 21[a] (abbés qui méprisent les ordres des évêques).

27. Nous laissons de côté ce qui n'est que modification, amplification ou combinaison de sources (3RP 6, 2-3 ; 7, 1-3 ; 9, 1-2, etc.).

remettre les moines malades à leur famille (12, 1-3) ; enfin l'hypothèse d'un changement de communauté autorisé par l'abbé pour raisons sérieuses, avec l'interdiction de sortir du nouveau monastère (14, 2-3).

Dans chacune de ces ordonnances, l'abbé se trouve mis en cause, presque toujours de façon directe et explicite. Ce que le prévôt était pour le rédacteur de l'Orientale — le personnage important et préoccupant — l'abbé l'est pour les auteurs de la Troisième Règle[28]. Ce souci ne surprend pas chez des évêques. Réglementant la vie monastique de l'extérieur, légiférant de haut, ils s'adressent très naturellement à celui qui est responsable du monastère devant l'Église, à son supérieur.

Points de contact Aussi bien dans ces passages
avec Césaire d'Arles originaux que dans ceux qui
          dépendent de Macaire et des conciles, on relève quelques ressemblances avec les Règles et la Vie de Césaire d'Arles. La première, que nous avons déjà signalée, est la position initiale donnée aux prescriptions concernant l'admission et la désappropriation du postulant[29]. Un peu plus loin, le paragraphe sur les vêtements rappelle ce que Césaire prescrit, soit quand il fait un devoir à l'abbesse ou à l'abbé de fournir le nécessaire à leurs sujets[30], soit quand il interdit les couleurs artificielles obtenues par la teinture[31]. Cependant l'exception faite par la Troisième Règle en faveur des manteaux noirs va à l'encontre des dispositions de Césaire. C'est seulement chez son successeur Aurélien que le « noir naturel » sera rangé parmi les couleurs permises[32].

---

28. Le *praepositus* n'apparaît ici que deux fois, en compagnie de l'abbé (3RP 6, 2 ; 9, 1).

29. Cf. ci-dessus, n. 7.

30. Comparer 3RP 3, 1 avec CÉSAIRE, *Reg. uirg.* 59 et *Reg. mon.* 16 ; cf. AURÉLIEN, *Reg. mon.* 54, 2.

31. Comparer 3RP 3, 2 avec CÉSAIRE, *Reg. uirg.* 44 et 55.

32. AURÉLIEN, *Reg. mon.* 26 (influence de 3RP ?). L'autorisation du noir disparaît dans le parallèle féminin (AURÉLIEN, *Reg. uirg.* 22).

D'autres points de contact avec la législation d'Arles sont l'interdiction d'admettre les femmes dans la clôture et l'obligation faite aux abbés de manger avec les frères, encore que l'une et l'autre soit formulée par Césaire et Aurélien de façon abrupte, sans les compléments et motivations que donne notre règle[33]. La défense de renvoyer le moine malade dans le monde — dans sa famille, plus précisément — fait aussi penser à un texte arlésien, mais cette fois le rapport est de franche opposition. D'après sa Vie, en effet, le jeune moine malade qu'était Césaire fut bel et bien envoyé par l'abbé de Lérins à la ville d'Arles pour qu'il s'y soignât[34].

Enfin le châtiment des verges, que notre règle inflige au moine voleur, sanctionne le même délit dans la Règle des vierges de Césaire. Les termes, toutefois, sont différents[35]. Dans ce cas comme dans les précédents, on hésite donc à affirmer l'existence d'une relation littéraire entre les deux législations. Aucun des points de contact que nous avons énumérés ne postule une telle dépendance, dont le sens

---

33. Comparer 3RP 4, 2 avec CÉSAIRE, Reg. mon. 11, 1 (Mulieres in monasterio numquam ingrediantur). Cf. AURÉLIEN, Reg. mon. 15, 1. Voir ci-dessous, n. 40. La phrase de Césaire est isolée, tandis que celle de 3RP prolonge la mise en garde contre les familiarités empruntée à Agde et introduit une sanction contre l'abbé coupable de complicité. Absent du parallèle césairien, ce contexte diminue la probabilité d'un emprunt. — Comparer encore 3RP 11, 1-2 avec CÉSAIRE, Reg. uirg. 41 (Abbatissa nisi inaequalitate aliqua aut infirmitate uel occupatione conpellente extra congregationem penitus non reficiat). Cf. AURÉLIEN, Reg. mon. 50 (cf. 34). Voir aussi Vita Patrum Iurensium 170. Pour Césaire, il s'agit, semble-t-il, d'empêcher les repas avec des personnes de l'extérieur (cf. Reg. uirg. 39-40), tandis que 3RP se préoccupe de l'instruction des moines par l'abbé au cours du repas.

34. Comparer 3RP 12, 1-3 et Vita Caesarii I, 7. Arles n'était d'ailleurs pas la patrie de Césaire, bien que l'évêque Aeonius se soit par la suite découvert son parent, et il n'y fut pas à la charge de sa famille, mais d'amis généreux.

35. Comparer 3RP 13, 3 (uirgis caesus) et CÉSAIRE, Reg. uirg. 26 (legitimam disciplinam ; Césaire cite ensuite Pr 23, 14 : Tu uirga eum caedis). Voir ci-dessus, n. 19.

resterait d'ailleurs à déterminer. Tout ce qu'ils semblent prouver est la proximité des deux œuvres et des deux milieux, où les mêmes questions se posent et reçoivent des solutions plus ou moins concordantes. Cette affinité de la Troisième Règle avec le milieu césarien n'est pas faite pour nous surprendre, puisque sa principale source canonique est le concile d'Agde, qui fut présidé par Césaire, et que les deux autres conciles dont elle dépend sont contemporains de l'épiscopat de celui-ci.

Rapports avec divers conciles   Reste à examiner les analogies de notre règle avec certains actes conciliaires, soit antérieurs, soit postérieurs à ceux dont nous avons parlé. Sa remarque au sujet du vol, qualifié de « sacrilège », fait peut-être allusion à un canon du concile de Vaison (442), qui s'appuyait lui-même sur une citation de Jérôme[36]. Une de ses formules favorites (*si in id facinus fuerit deprehensus*) se retrouve à peu près telle quelle dans les actes du concile de Marseille (533), célébré sous la présidence de Césaire quelques jours avant celui d'Orléans[37]. Trop légers pour établir un rapport de dépendance, ces indices confirment seulement l'appartenance de la Troisième Règle à la tradition ecclésiastique gauloise des Ve et VIe siècles.

Parmi les documents conciliaires plus tardifs qui présentent quelque ressemblance avec notre texte[38], il en est deux qui méritent une considération spéciale. D'abord les

---

36. Voir 3RP 13, 1 : *furtum... quod potius sacrilegium dici potest* ; Vaison, can. 4, citant JÉRÔME, *Ep.* 52, 18 : *Amico quidpiam rapere furtum est, ecclesiam fraudare sacrilegium,* à quoi Agde, can. 5, fait peut-être aussi allusion (*furtum ecclesiae*). La faute visée par Vaison (détournement de biens légués par des défunts) est différente de celle d'Agde et de 3RP. Voir aussi nos *Addenda*, § IV, p. 530.

37. Voir 3RP 9, 3 (*cum... detectus*) et 13, 4 (*si... deprehensus*) ; Marseille, lignes 268-269 : *si... in hoc facinus fuerint reperti* (il s'agit des violateurs de tombes ; c'est Césaire lui-même qui écrit).

38. Voir surtout les notes sous 3RP 4.

actes du concile de Tours (567), qui ont seuls, comme notre règle, la défense faite aux femmes d'entrer dans le monastère, jointe au châtiment de l'abbé coupable d'avoir laissé entrer l'une d'elles[39]. Si intéressante que soit cette séquence commune, il n'est pas sûr que l'un des textes dépende de l'autre, car on ne trouve pas entre eux de rapport verbal caractérisé[40] et la sanction infligée à l'abbé diffère[41].

Quant au concile de Saint-Jean de Losne (673-675), ses canons 19-20 ressemblent au dernier article de la Troisième Règle, du fait qu'ils présentent successivement, comme celui-ci, l'interdiction de recevoir un moine étranger sans la recommandation de son abbé, et la sanction terminale *si quis post hanc...*, dont l'une provient du concile d'Agde et l'autre du deuxième concile d'Orléans[42]. Cette fois, une relation de dépendance paraît probable, mais le texte dépendant ne saurait être la Troisième Règle, car il est clair que celle-ci emprunte directement aux actes d'Agde et d'Orléans, dont on ne trouve dans ceux de S. Jean de Losne qu'un écho affaibli.

Au reste, le problème se complique du fait que le premier de ces canons de S. Jean de Losne est en contact étroit avec

---

39. Voir 3RP 4, 2-5 ; Tours, can. 17. Ce qui précède de part et d'autre (3RP 4, 1 ; Tours, can. 16) traite pareillement des « familiarités » entre moines et femmes, mais sans rapports précis comme on en trouve entre Agde, can. 10 et 3RP.

40. 3RP 4, 2 fait plutôt penser à CÉSAIRE, *Reg. mon.* 11, 1 (cf. ci-dessus, note 33).

41. Déposition (3RP) ; excommunication (Tours). Au reste, si 3RP est une production du concile d'Auvergne (535), comme nous allons le voir, il est fort possible que les Pères de Tours en aient eu connaissance et s'en soient inspirés.

42. Voir 3RP 14, 1 et 4 : *Monachum nisi abbatis sui aut permissu aut uoluntate ad alterum monasterium commigrantem nullus abba aut suscipere aut retinere praesumat... Sane si quis post hanc diligentissimam sanctionem non obseruare quae sunt superius conprehensa praesumpserit...* ; S. Jean de Losne, can. 19-20 (*CC* 148 A, p. 317) : *...ut nullus monachum alterius sine comitatum abatis sui uel literas comendaticias suscipere praesumat. Quod si quispiam post hanc definitionem temerare conauerit...* (on trouve aussi *Quod si* en 3RP 14, 2).

un de ceux d'Autun rédigés sous l'évêque Léger (663-680),
texte qui est lui-même en relation directe avec Agde[43]. Ce qui
importe ici n'est pas de démêler cet écheveau, mais de
constater que la Troisième Règle dépend en tout cas des seuls
conciles de 506 et de 533. Son rapport avec S. Jean de Losne
ne peut donc servir à la dater. Il peut éclairer la genèse de ce
concile de basse époque, non la sienne.

Conclusion   Au terme de ces comparai-
                         sons, nous restons donc en
présence des pièces énumérées au début de notre étude : la
Règle de Macaire, les actes d'Agde et des deux conciles
d'Orléans. Seules sources certaines de la Troisième Règle,
elles forment toute la documentation dont nous disposons
pour localiser et dater notre texte, comme nous allons tenter
de le faire maintenant.

---

43. Autun, can. 10[c] (*CC* 148 A, p. 319) : ... *ut nullus monachum
alterius absque permissu sui abbatis praesumat retinere, sed cum inuentus
fuerit uagans, ad cellam propriam reuocetur* (cf. Agde, can. 27[c]).

CHAPITRE II

Les manuscrits La tradition manuscrite de la
Troisième Règle est à peine plus
riche que celle de l'Orientale. Au *Codex* de Benoît d'Aniane,
corrigé selon les règles de l'art, elle ajoute seulement un
témoin étroitement apparenté, mais non retouché, le
manuscrit de Tours. Cette pauvreté de l'attestation manuscrite ne suggère pas une diffusion considérable, contrai-
rement à ce que ferait supposer l'origine conciliaire du
document.

Les sources Quant à l'époque et à la
région, les sources dessinent une
aire assez précise. Si la Règle de Macaire a vu le jour à
Lérins sous l'abbé Porcaire, cette source primordiale est
proche, dans l'espace comme dans le temps, du principal
concile utilisé, celui d'Agde (506). A cette base venant de la
Gaule méridionale, alors occupée par les Goths[1], et du début
du VIe siècle, se superposent les extraits des conciles
d'Orléans, qui nous transportent en Gaule franque dans les
décennies suivantes (511 et 533).

Là s'arrêtent les emprunts, semble-t-il. Comme d'autres
conciles se sont réunis à Orléans en 538, 541 et 549, et

---

1. C'est en 508 que la Provence, par suite de la défaite infligée aux
Wisigoths par les Francs à Vouillé, passe aux mains des Ostrogoths.

qu'aucun d'eux n'a laissé de trace sur notre règle, on est fondé à penser que sa rédaction a eu lieu avant eux, peu après 533. En recopiant la sanction terminale du deuxième concile d'Orléans, les Pères semblent désigner les actes de celui-ci comme le point final des lectures dont ils parlaient dans leur préambule. L'ordre approximatif dans lequel ils rangent leurs citations de Macaire et des trois conciles, en partant du préambule d'Agde pour terminer par la conclusion d'Orléans II[2], suggère que ces lectures embrassaient *grosso modo* la période 506-533 et n'allaient pas au-delà.

L'œuvre de Césaire d'Arles   De son côté, le fait que notre règle ne présente pas d'indice sûr de parenté littéraire avec celle de Césaire confirme ce *terminus ad quem*. La Règle des vierges de Césaire a reçu sa forme définitive en juin 534, et sa Règle des moines, qui en est un abrégé[3], a dû être rédigée entre 534 et 542. Une autre date à retenir est celle de 536, année où Arles et la Provence passent sous le contrôle des Francs. Cette annexion n'a pu que faciliter la diffusion de l'œuvre césairienne en Gaule franque. Puisque cette œuvre, malgré le prestige et l'influence du grand évêque, ancien président du concile d'Agde, n'a pas laissé de trace certaine sur notre règle, il est à présumer que les Pères n'en avaient pas connaissance. Nous sommes ainsi ramenés dans la période qui a suivi immédiatement Orléans II (juin 533), avant que les règles de Césaire aient vu le jour ou aient eu le temps de se répandre[4].

---

2. Les emprunts à Agde (3RP 1, 1 - 14, 1) et à RMac (3RP 1, 3 - 10, 3) contrastent, par leur position, avec les emprunts à Orléans I (3RP 13, 2-3) et à Orléans II (3RP 13, 4 - 14, 5). Les premiers apparaissent dès le début de 3RP, les seconds seulement vers sa fin.

3. Cf. notre article « La Règle de Césaire d'Arles pour les moines : un résumé de sa Règle pour les moniales », dans *RHS* 47 (1971), p. 369-406.

4. La règle masculine a été diffusée par Césaire lui-même, puis par son

Pour les auteurs de la Troisième Règle, la grande autorité monastique n'est pas Césaire, mais Macaire. Quand on se souvient que la *Regula Macarii* voisine avec la *Regula Caesarii* dans deux manuscrits fort anciens, qui les insèrent au milieu d'actes conciliaires de la Gaule franque[5], on ne peut s'empêcher de songer à notre règle. Le concile qui l'a élaborée connaissait et estimait hautement la *Regula Macarii*. Quant à la *Regula Caesarii*, qui allait prendre place à sa suite dans cette collection canonique, tout se passe comme s'il ne l'avait pas encore reçue. Ainsi, à la veille de la publication des règles arlésiennes, la Troisième Règle apparaît comme l'ultime témoin du monachisme franc précésairien.

La Troisième Règle, production du concile d'Auvergne (535) ?

Notre problème de localisation et de datation revient donc à découvrir un concile franc, très proche d'Orléans II, qui pourrait avoir promulgué cette petite législation pour moines. A cet effet, nous n'avons qu'à ouvrir le volume des *Concilia Galliae* édité naguère par C. de Clercq. Aussitôt après Orléans II, nous y trouvons un *Concilium Claremontanum seu Aruernense* qui répond exactement à notre attente[6]. Réuni le 8 novembre 535, il a édicté seize canons, dont aucun ne fait la moindre mention de moines, de monastères ou d'abbés. Quand on se rappelle que les conciles

---

neveu Teridius, comme nous l'apprend le titre. La règle féminine sera adoptée par Radegonde à Poitiers et mentionnée à ce titre par le concile de Tours (567). En tant que féminine, elle était d'ailleurs moins apte à influencer la rédaction d'une législation pour hommes telle que 3RP. Cependant elle est utilisée, tout comme la règle masculine, par Aurélien dans sa Règle des moines.

5. Mss de Bruxelles, Bibl. Royale, *2493* ; Paris, Bibl. Nationale, *lat. 1564*. Cf. Introduction à RMac, chap. II, notes 22-29.

6. *Concilia Galliae* (511-695), éd. C. DE CLERCQ, *CC* 148 A, p. 104-112.

précédents et suivants ont coutume de consacrer au moins quelques phrases à la gent monastique[7], ce silence inusité apparaît déjà comme un indice. Si les Pères de ce concile ont laissé les moines de côté dans leurs canons, n'est-ce pas parce qu'ils s'occupaient d'eux dans un autre document ?

Prélats d'origine monastique L'hypothèse est d'autant plus plausible que plusieurs des prélats réunis à Clermont n'étaient pas de ceux qui pouvaient se désintéresser du monachisme. Sur ces quinze évêques, trois nous sont connus pour leurs antécédents monastiques. D'abord l'évêque de Clermont lui-même, Gallus, qui entra tout jeune au monastère voisin de Cournon et y passa une dizaine d'années, avant d'être pris dans le clergé séculier[8]. Son diocèse comptait d'ailleurs de nombreux monastères, au témoignage de son neveu, Grégoire de Tours[9]. Ensuite Nizier de Trèves, qui avait été non seulement moine, mais abbé[10]. Enfin, si nous en croyons sa Vie, Hilaire de Gévaudan, ancien abbé lui aussi[11].

---

7. Pour Agde et Orléans I-II, voir ci-dessus, chap. I, n. 15, 22 et 26. Il est question de moines ou de monastères dans Orléans III (538), can. 21 et 26 ; Orléans IV (541), can. 11 ; Orléans V (549), can. 13 et 19, etc. Voir aussi Epaone (517), can. 9-10, 19, 38.

8. Voir surtout GRÉGOIRE DE TOURS, *V. Patrum* 6. Cf. *Hist. Franc.* 4, 5 ; *Glor. mart.* 51 ; *Mirac. S. Iuliani* 23 ; *V. Patrum* 2, 2. Gallus fut évêque de 525/526 à 551 (L. DUCHESNE, *Fastes épiscopaux de l'ancienne Gaule,* t. II, Paris ²1910, p. 36). Né en 486 ou 487, il est entré à Cournon vers 505 et est devenu clerc en ville vers 515.

9. Voir notamment GRÉGOIRE DE TOURS, *V. Patrum* 3, 1 (S. Cirgues) ; 4, 4 et 5, 3 (*Cambidobrense monasterium*) ; 5, 1 (S. Pourçain) ; 6, 1 (Cournon) ; 9, 2 (La Celle- S. Patrocle) ; 11, 1 (Méallet) ; 12, 1-3 (Pionsat, Vensat ?, Ménat) ; 14, 1 (Chamalières). Voir aussi *Hist. Franc.* 1, 39 (Chantoin) ; 2, 21 (Chanturgues) ; 4, 32-33 (Randan). Cf. M. VIEILLARD-TROIEKOUROFF, *Les monuments religieux de la Gaule d'après les œuvres de Grégoire de Tours,* Paris 1976, en particulier p. 417 et 442 (cartes I bis et IV).

10. GRÉGOIRE DE TOURS, *V. Patrum* 17 ; *Hist. Franc.* 10, 29 ; *Glor.*

Si Gallus de Clermont ne semble pas avoir été dépourvu d'ambition cléricale, Nizier, qui fut le maître du saint abbé Yrieix de Limoges, laissera le souvenir d'un évêque extrêmement austère et zélé. Quant à Hilaire, c'est un beau type d'ermite fondateur de communautés, personnage charismatique à qui la vie religieuse devait tenir fort à cœur. Ces deux derniers prélats, qui n'avaient ni assisté ni délégué de représentant au deuxième concile d'Orléans, étaient bien faits pour inciter le concile d'Auvergne à s'occuper des monastères.

Grégoire de Langres et la Règle de Macaire La plupart des douze évêques restants nous sont à peu près inconnus[12]. Mais l'un d'eux, dont Grégoire de Tours, son arrière-petit-fils, a retracé la carrière, retient immédiatement notre attention : Grégoire, évêque de Langres[13]. Cet ancien fonctionnaire du royaume burgonde, devenu évêque en 506 ou 507, est précisément celui qui, au début de son épiscopat, fit revenir de Lérins l'abbé Jean de Réomé et l'obligea à reprendre la direction de son monastère. Or c'est à la suite de son retour à Réomé que Jean mit en application la *Regula Macarii*[14].

N'est-il pas extrêmement significatif que l'évêque dans le ressort duquel la Règle de Macaire fait sa première apparition, ait pris part à ce concile auquel nous avons lieu d'attribuer la Troisième Règle des Pères ? Qui, mieux que lui,

---

conf. 93-94. Cf. DUCHESNE, *Fastes*, t. III, p. 37-38. Il avait, lui aussi, plus d'un monastère dans son diocèse.

11. Voir *Acta Sanctorum, Octobr.*, t. XI, p. 638. Cf. DUCHESNE, *Fastes*, t. II, p. 54.

12. Sur Dalmace de Rodez, voir GRÉGOIRE DE TOURS, *Hist. Franc.* 5, 46 (cf. 5, 5 et 6, 38). Sur Rurice II de Limoges, voir FORTUNAT, *Carm.* 4, 5.

13. GRÉGOIRE DE TOURS, *V. Patrum* 7. Cf. *Hist. Franc.* 3, 15 et 19 ; 4, 15 ; 5, 5 ; *Glor. mart.* 51. L'épiscopat de Grégoire va de 506/507 à 539/540 (DUCHESNE, *Fastes*, t. II, p. 186).

14. JONAS, *V. Iohannis Reomaensis* 5. Voir Introduction à RMac, chap. II, n. 30 et 33-41.

pouvait apporter à Clermont cette œuvre de Macaire qui est
la source principale de la Troisième Règle ? Le saint abbé
Jean, qu'il avait lui-même ramené et fixé dans son diocèse, a
dû lui faire connaître ce texte et le lui rendre, par l'usage qu'il
en avait fait, particulièrement vénérable.

Au reste, la présence de Grégoire au concile d'Auvergne
est un fait intéressant pour l'histoire ecclésiastique et même
politique. Comme l'a remarqué C. de Clercq[15], presque tous
les membres de ce concile se réunissent là pour la première
fois, ayant manqué l'assemblée précédente d'Orléans II.
Grégoire de Langres est un de ces nouveaux venus. Il a bien
assisté aux conciles burgondes d'Epaone et de Lyon[16], mais il
a fallu l'annexion de la Bourgogne au domaine franc, en 534,
pour qu'il prenne part à un concile austrasien comme celui
d'Auvergne.

Ainsi la Troisième Règle porte l'empreinte des vicissitudes
récentes de l'histoire gauloise. La Règle de Macaire y représente probablement un apport burgonde, tandis que les actes
d'Agde et d'Orléans en constituent le cadre d'origine
franque[17]. Cette synthèse monastique de 535 est le reflet
d'une Gaule en voie d'unification, à laquelle ne manquent
plus qu'Arles et la Provence, qui vont être annexés l'année
suivante.

Honorat de Bourges et   Avant de quitter la liste des
les actes d'Orléans II   signataires de Clermont, rele-
                             vons que deux d'entre eux
avaient participé à Orléans II. Ce sont Gallus de Clermont,
qui s'y était fait représenter par le prêtre Laurent[18], et le

---

15. *CC* 148 A, p. 104.

16. *Ibid.*, p. 36 (Epaone 517) et 40-41 (Lyon 518-523).

17. Les canons d'Agde, promulgués en 506 par les évêques du
royaume wisigoth, sont entrés avec la plupart de ceux-ci dans le royaume
franc l'année suivante (cf. ci-dessus, n. 1).

18. *CC* 148 A, p. 103, ligne 118.

métropolitain de Bourges, Honorat, président des deux assemblées. Par ce dernier, le concile d'Auvergne est étroitement lié au concile d'Orléans. Dès lors, on comprend sans peine les emprunts de la Troisième Règle aux actes d'Orléans II, notamment celui de la sanction finale. Cette conclusion juridique, qui précède immédiatement la signature d'Honorat dans les actes d'Orléans, pourrait bien avoir été reproduite par lui, deux ans plus tard, à la fin de notre règle[19].

Le prologue du concile d'Agde   A l'autre bout de celle-ci, l'exorde emprunté aux actes d'Agde doit être rapproché de celui du concile d'Auvergne. Ce dernier reproduit également le préambule d'Agde, mais sous la forme longue qui inclut l'hommage au roi[20]. C'est là un nouveau point de contact entre la Troisième Règle et le procès verbal du concile d'Auvergne. Les deux documents reprennent le prologue d'Agde, l'un sous sa forme longue et originelle, l'autre sous sa forme brève. D'Orléans I (511) à Tours (567) et au-delà, aucun concile ne reproduit l'exorde d'Agde comme notre synode auvergnat. On peut voir là une preuve supplémentaire de l'appartenance de la Troisième Règle à ce concile d'Auvergne.

---

19. *CC* 148 A, p. 102, lignes 86-90 (Orléans II). Au contraire, Clermont ne présente pas, avant la signature d'Honorat, de conclusion générale, celle des lignes 109-111 (*CC* 148 A, p. 110) n'étant que la conclusion particulière du canon 16. On peut se demander si les canons monastiques de 3RP ne venaient pas à la suite, de sorte que la sanction finale de la règle (3RP 14, 4-5) concluait l'ensemble des actes. Cependant la règle a un exorde distinct (3RP 1, 1-2), qui semble en faire une pièce détachée, au moins dans l'état où nous la connaissons.

20. D'Alaric, d'ailleurs non nommé (Agde), on passe à Théodebert (Clermont). On retrouve l'hommage au(x) souverain(s) dans les conciles d'Orléans de 511, 533 et 549, tandis qu'il manque dans ceux de 538 et 541.

L'utilisation des canons d'Agde et d'Orléans   Un autre indice convergent est la façon dont les Pères de Clermont utilisent les conciles antérieurs. Ils font usage des trois conciles cités par notre règle, et les proportions sont assez semblables : ce qu'ils empruntent à Agde[21] est plus considérable que ce qu'ils doivent à Orléans II[22] et surtout à Orléans[23] I.

Rapports de forme et de fond   En ce qui concerne le vocabulaire et le style, l'exiguïté des textes originaux de la Troisième Règle ne permet pas de pousser assez loin la comparaison. Quelques expressions, communes, parfois peu caractéristiques, se rencontrent de part et d'autre[24].

Quant au fond, on ne relève guère d'analogie, sinon la responsabilité que règle et concile font peser tous deux, sous peine de sanction, sur le supérieur − évêque ou abbé − en ce qui concerne les relations de ses subordonnés avec les femmes[25]. De part et d'autre, on souligne qu'il faut établir des

---

21. Comparer Agde, Prol.-1.21.16 (cf. 8-9) et Clermont, Prol.-1.15.10-11 (cf. 4-13).

22. Comparer Orléans II, 4.19 (cf. 10) et Clermont, 2.6 (cf. 12).

23. Comparer Orléans I, 18.29 et Clermont, 12.16 (incertain dans les deux cas).

24. Ainsi *Deo propitio* (3RP 2, 2 ; Clermont, titre) ; *sociari* (3RP 4, 5 et 9, 1 ; Clermont, can. 6, ligne 43) ; *censemus* + infinitif, au sens d'« estimer » (3RP 3, 1 et 12, 3, cf. 13, 2 ; Clermont, *Ep. ad Theod.*, ligne 31) ; *dignitate priuari* (3RP 13, 4, en dépendance d'Orléans I, can. 21 ; Clermont, can. 13, ligne 78). Comparer aussi *tanti criminis* (3RP 13, 2 ; cf. Orléans I, can. 21 : *tantae praeuaricationis*) et *tantum nefas* ou *tanto... scelere* (Clermont, can. 6, ligne 41 ; can. 12, ligne 65) ; *ut canones docent* (3RP 9, 3, renvoyant à Agde, can. 41) et *ut priorum canonum series continet* (Clermont, can. 16, ligne 103, renvoyant à Agde, can. 10). Ce dernier parallèle est le plus intéressant. Il montre que, pour Clermont comme pour 3RP, les « canons » par excellence sont ceux d'Agde.

25. Comparer 3RP 4, 3-5 et Clermont, can. 16.

pasteurs moralement aptes à diriger et à corriger leur troupeau[26].

Macaire et les actes de Clermont dans les manuscrits Pour achever cette revue d'indices, revenons aux manuscrits qui contiennent les règles de Macaire et de Césaire parmi des actes de conciles gaulois[27]. C'est un fait curieux que le concile d'Auvergne figure juste après les deux règles dans un des manuscrits[28], et peu avant elles dans l'autre[29]. Le voisinage des actes de Clermont et de la Règle de Macaire dans ces deux manuscrits apparentés pourrait remonter au noyau primitif de la collection, qui se serait constitué à l'époque du concile d'Auvergne. Peut-être est-il en rapport avec l'usage de la Règle de Macaire qu'a fait ce concile pour composer la Troisième Règle.

Conclusion Trop ténus et incertains, ces derniers indices ne doivent pas nous faire oublier le faisceau d'observations probantes que nous avons réuni plus haut. Le fait essentiel est que la Troisième Règle remploie, avec la Règle de Macaire, trois conciles gaulois, dont le premier est Agde et le dernier Orléans II, de sorte qu'elle a dû voir le jour un peu après 533. Confirmée par l'usage que les Pères font de la Règle de

---

26. Comparer 3RP 4, 5 (*quia talis sancto gregi praeponi debet qui eos inmaculatos Deo offerre procuret*) et Clermont, can. 2, lignes 21-24 : *quia inrepraehensibiles esse conuenit quos praeesse necesse est corrigendis ; diligenter quisque inspiciat pretium dominici gregis, ut sciat quod meritum constituendi deceat esse pastoris.*

27. Voir ci-dessus, n. 5.

28. Ms. de Bruxelles, *2493,* folios 32ᵛ-40 (omet Clermont, can. 13 et 16, fin).

29. Ms. de Paris, *1564*, folios 9ᵛ-11. Là, Clermont est suivi de la *Fides Isatis* et de sept *tituli*, où l'on retrouve, entre des canons d'Orléans 533 et 538, les canons 5 et 14 de Clermont.

Macaire, et non de celle de Césaire, cette datation mène au concile d'Auvergne de 535, dont les membres et les actes remplissent parfaitement les conditions requises pour qu'on puisse lui associer la Troisième Règle : présence de plusieurs évêques-moines et surtout de Grégoire de Langres, personnage apte entre tous à y faire apprécier la Règle de Macaire ; canons qui remploient eux aussi, et dans des proportions analogues, les conciles d'Agde et d'Orléans, tout en s'abstenant complètement de parler des moines.

Si l'on ajoute à ces faits la similitude des prologues, tirés l'un et l'autre de celui d'Agde, et la manière dont notre règle conclut par la sanction finale d'Orléans II, dont le président fut aussi celui de Clermont, on se trouve en présence d'un ensemble d'indices tels qu'il est difficile d'en réunir de plus probants. Aussi pouvons-nous conclure, avec les plus grandes chances de vérité, que ce dernier représentant de notre phylum est issu du concile d'Auvergne de 535, dont il reflète les conditions politiques et la visée particulière d'union franco-burgonde, en même temps qu'il témoigne, comme tous les conciles gaulois, de la cléricalisation des monastères et de l'emprise exercée sur eux par l'épiscopat.

CHAPITRE III

ÉTABLISSEMENT DU TEXTE
ET PRÉSENTATION

La « Concordia   La tradition manuscrite de la
Regularum »   Troisième Règle est trop pauvre
pour qu'on néglige le moindre
appoint. Aussi ferons-nous appel à ce témoin secondaire
qu'est la *Concordia* de Benoît d'Aniane. Notre règle y figure
presque en entier, comme le montre le relevé suivant :

3RP	CONCORDIA REG.	3RP	CONCORDIA REG.
1, 3-7	65, 2	8, 1-3	72, 2
2, 1-5	5, 3	9, 1-3	58, 2
3, 1-2	62, 2	11, 1-2	5, 4
5, 1-3	55, 5	12, 1-3	45, 29
6, 1-3	52, 2	13, 1-5	32, 2
7, 1-2	47, 2	14, 1-3	68, 3

L'appartenance de ces douze extraits à notre règle n'est
douteuse que pour le sixième (3RP 7, 1-2), qui provient
peut-être de la Seconde Règle[1]. Insoluble[2], le problème est

---

1. De fait, c'est à 2RP que Ménard a attribué ce passage en inscrivant
dans la marge de *T*, en face de 2RP 46, la référence *C XXX*, qu'il avait
trouvée dans le ms. *F* (*Concordia* 47, 2).

2. La référence de la *Concordia* (*Ex Regula Patrum* XXX) est
manifestement erronée. Même si elle était exacte, elle ne permettrait pas
de trancher, puisque le passage se trouve au paragraphe VII dans l'une et
l'autre règle.

d'ailleurs sans importance, puisque ce passage ne comporte aucune variante. Compte tenu de cette incertitude, on voit que la Troisième Règle se trouve tout entière dans la *Concordia*, sauf le préambule (1, 1-2), la conclusion (14, 4-5) et deux paragraphes médians (4, 1-5 ; 10, 1-3).

Divisions du texte   Les deux témoins principaux, les manuscrits de Tours et de Benoît d'Aniane, divisent l'un et l'autre le texte en 14 paragraphes, mais divergent en partie quant à la délimitation de ceux-ci. Dans *T*, le paragraphe 3 commence à *Si quis uero* (2, 3), de sorte que les paragraphes 4-7 sont en avance d'un numéro sur la capitulation de *A* (3-6). Mais comme le paragraphe 7 de *T* en réunit deux de *A* (6-7), l'avance cesse à partir de là et les deux manuscrits concordent ensuite jusqu'à la fin.

Étant donné la supériorité générale de *T* sur *A*, la division du premier serait préférable en soi, si l'on était assuré qu'elle remonte à l'origine du manuscrit. Mais en fait, les chiffres I-VIIII, à propos desquels se produit la divergence avec *A*, sont d'une autre main que les chiffres X-XIIII, et il y a lieu de penser que cette dernière série est seule originelle (on retrouve ensuite des chiffres du même genre dans la *Regula Pauli et Stephani*), tandis que la première, comme les numéros inscrits en marge de la Seconde Règle, semble avoir été ajoutée par H. Ménard. La division de *A* garde donc toute sa valeur, d'autant qu'elle est confirmée par les références de la *Concordia*. Il y aurait d'ailleurs de sérieux inconvénients pratiques à la modifier. Pour toutes ces raisons, c'est elle que nous reproduirons ci-après.

Titres et Explicit   Les rubriques du début et de la fin sont très simples dans *T* (*Item regula - Finit regula*) mais compliquées dans *A*, du fait de l'insertion de *Capitula* au début : *Incipiunt capitula regulae a sanctis patribus prolatae - Expliciunt capitula - Incipit* *regulae eiusdem prefatio*[3] - *Explicit regula a sanctis patribus prolata.* Notons aussi le titre courant de *A*, où apparaît la dénomination qui nous est familière : *Regula III Item regula patrum per collecta facta.* Dus à Benoît d'Aniane[4], ces titres ne méritent pas d'être reproduits dans notre texte critique, non plus que les *Capitula* fabriqués par le grand éditeur carolingien[5].

Principes d'édition　　Si l'on met à part le titre général et l'*Explicit*, les deux textes de Migne (*PG* 34, 979 ; *PL* 103, 443), qui se rattachent respectivement, à travers Galland et Brockie, aux deux éditions de Holste (1661 et 1663), ne présentent pas de différence substantielle. Nous les confondrons donc sous le sigle *h*, qui représente globalement le texte imprimé par Holste et ses épigones.

A l'origine de celui-ci se trouvent le manuscrit de Cologne (*K*), et au-delà le *Codex* de Benoît d'Aniane (*A*)[6]. La *Concordia* permet parfois de dépasser ce dernier et de remonter jusqu'à son modèle[7]. Ailleurs, elle apporte au *Codex* une confirmation[8].

Quant aux divergences entre *T* et *A*, nous n'avons pas, pour la Troisième Règle, de point de comparaison externe

---

3. Mot omis par J. NEUFVILLE, « Les éditeurs », p. 332, où en outre le troisième mot, au début, est à lire *regulae*, non *regula*. De notre côté, nous développons les abréviations, qu'on trouvera reproduites dans cet article.

4. Cf. J. NEUFVILLE, *art. cit.*, p. 331-332.

5. Voir *PL* 103, 443 c (avant le texte, comme dans *A*) ; *PG* 34, 979-982 (avant chaque chapitre). Avec *A*, lire *agros* (4) et *egrediatur* (9). En écrivant *De his qui ad opus Dei tarde occurrunt* (6), Benoît d'Aniane se souvient visiblement de *RB* 43, T.

6. A quatre reprises (1, 7 ; 6, 1 ; 12, 1 ; 13, 2), nous avons relevé (sigle *A*²) les corrections de A. Losen, qui préparent la copie de *K*. Cf. J. NEUFVILLE, *art. cit.*, p. 338-339.

7. Accord *TF* contre *A* sur *ebrietat(i) (9, 1) ; cellulam* (9, 2) ; *ordinando* (13, 2) ; *districtionem* (14, 2).

8. Accord *AF* sur *gulae* (9, 2) ; *qui* (12, 3).

qui permette un choix. Mais quand on se reporte à la Seconde Règle, où ces deux manuscrits si étroitement apparentés peuvent être comparés à un troisième témoin appartenant à une aute famille (E_1), on voit que le *Turonensis* l'emporte constament sur l'*Anianensis*[9]. Celui-ci apparaît comme un témoin médiocre, qui corrige son modèle sans scrupule[10].

Par suite, notre texte critique de la Troisième Règle se tient aussi près que possible de *T*. La préférence que nous donnons à celui-ci va jusqu'à nous faire retenir certaines anacoluthes et confusions de cas[11], dont on ne trouve pas l'équivalent, semble-t-il, dans les actes du concile de Clermont. Certes, si notre règle émane de ce concile, il y a lieu de penser que les incorrections de *T* ne sont pas attribuables à ses auteurs − ce que confirme la qualité de leurs clausules −, mais plutôt à des copistes. Pour suspectes qu'elles soient, nous aimons mieux toutefois les maintenir que de les corriger *motu proprio*, comme l'a sans doute fait Benoît d'Aniane[12].

---

9. Nous désignons ainsi la copie du *Codex* faite à Trèves et aujourd'hui conservée à Munich (*A*). La parenté de *A* et de *T* s'affirme par environ 45 accords contre E_1. Les accords AE_1 contre *T* se réduisent à deux cas douteux, tandis que ceux de *T* et de E_1 contre *A* sont au nombre de 10.

10. Comme l'a montré J. NEUFVILLE, *art. cit.*, p. 334-337, ces corrections ne sont pas dues au copiste de *A*, mais à Benoît d'Aniane lui-même.

11. Notamment 3RP 2, 1 (*Abbatibus... nulli*) ; 4, 1 (*ab omnia monasteria... ad monasteriis* ; cf. RIVP 2, 17, où *T* seul lit *ab* au lieu de *ad*) ; 4, 3 (*quis* pour *quae*) ; 14, 4 (*si quis... praesumpserint*). En 12, 2, le second *pro* (devant *studio*) peut être une réduplication du premier (12, 1).

12. Dans l'apparat, nous négligeons habituellement les menues variantes orthographiques telles que *e/ae* et *n/m* (préfixes).

SIGLES

A	Munich, Staatsbibl., *Clm 28118,* fol. 22^r-23^r
A^2	Corrections de A. Losen dans *A*
F	Orléans, Bibl. Mun., *233, passim*
K	Cologne, Arch., *W. F. 231,* fol. 38^r-38^v
T	Paris, B.N., *lat. 4333 B,* fol. 11^r-13^v
h	Édition de L. Holste, reproduite par Migne, *PG* 34, 979-982, et *PL* 103, 443-446
m	Fragments édités par H. Ménard, reproduits par Migne, *PL* 103, *passim.*

1. *Cum in nomine Domini* una cum fratribus nostris *conuenissemus, in primo placuit ut* regula *et* instituta *patrum per ordinem legerentur.* [2]*Quibus lectis placuit :*

[3]*Si de saeculo quis in monasterio conuerti uoluerit,* [4]*regula ei introeunti legatur et omnes actus monasterii illi patefiant.* [5]*Quod si omnia apte susceperit, sic digne a fratribus in cellula suscipiatur.* [6]*Nam si aliquam in cellulam uoluerit inferre substantiam, in mensa ponatur coram omnibus fratribus, uelut regula continet.* [7]*Quod si susceptum fuerit, non solum de substantia quam intulit, sed etiam nec de seipso ab illa iudicabit hora.*

2. Abbatibus uero nulli liceat sibi quicquam proprie uindicare, [2]cum omnia Deo propitio in illius maneant potestate. [3]Si quis uero, quod in regula iunioribus prohibetur, sibi aliquid ex successione parentum seu quolibet donato retinere praesumpserit et non omnia in commune posuerit, a

---

1, 1-2 *desunt F m* ‖ Item regula *praem. T* Incipit regulae eiusdem praefatio *praem. A K* ‖ primo : -is *h* ‖ 3 Si : quod *praem. F m* ‖ quis de saeculo *transp. F m* ‖ 4 actos *T* ‖ patefaciant *m* ‖ 6 Nam : tum *h* ‖ aliqua *T* ‖ cellulam : cellu *F*ac cella *F*pc *ut uid. m* ‖ substantia *T* ‖ 7 susceptum *T A m* : -tus *A*2*K h* ‖ etiam *om. m* ‖ illa : alia *F*

2, 1 Abbati *A K h F m* ‖ propriae *A* ‖ uendicare *K* ‖ 2 quolibet : quod libet *K*ac modo uel *add. m* ‖

1, 1-2 Agde, Prol.-can. 1 ‖ 3-5 RMac 23 ‖ 6-7 RMac 24, 1-4.

1, 1. *Una — nostris* pour *in ciuitate Agathensi. Id* omis devant *placuit. Regula... instituta* pour *canones... statuta :* cf. Marseille (533), p. 93, 194-195 : *regulam... ecclesiasticam et... antiquorum patrum statuta.*

3-7. *Ergo* initial omis ; pas d'autre changement. Sur la place de cet article au début de 3RP, voir Introd., chap. I, n. 6-7 et 29.

1. Nous étant réunis avec nos frères au nom du Seigneur, notre première décision fut de lire d'un bout à l'autre la règle et les institutions des Pères. ²A la suite de cette lecture, nous avons décidé :

³Si quelqu'un veut sortir du monde et mener dans un monastère la vie religieuse, ⁴on lui lira la règle à son entrée et on lui exposera tous les usages du monastère. ⁵S'il accepte tout cela comme il faut, alors les frères l'accepteront à bon droit dans la communauté. ⁶S'il veut apporter quelque bien matériel à la communauté, ce bien sera déposé sur l'autel en présence de tous les frères, comme le prescrit la règle. ⁷Si on accepte cette offrande, non seulement le bien qu'il a apporté, mais encore sa propre personne cessera d'être en son pouvoir à partir de cet instant.

2. Aucun abbé non plus ne pourra s'arroger la propriété de quoi que ce soit, ²encore qu'il tienne tout, par grâce de Dieu, sous son autorité. ³Si l'un d'eux, malgré l'interdiction faite par la règle aux inférieurs, se permet de garder quelque chose de l'héritage de ses parents ou d'une donation quelconque et ne met pas tout en commun, il sera repris par

---

2, 1. Passage du pluriel (*abbatibus*) au singulier (*nulli*) : Arles (554), can. 3 et 5. Cf. Agde (506), can. 38 : *Abbatibus... non liceat*. L'abbé n'a rien en propre : Orléans IV (541), can. 11 ; Autun (663-680), can. 1.

2. Pouvoir de l'abbé sur le temporel : *RM* 16, 58-60 ; 87, 38 ; 89, 31-35 ; 93, 13. *Omnia... in potestate* : Orléans I (511), can. 15 (cf. can. 14.17.19 ; AUGUSTIN, *Praec.* 5, 3).

3. *In regula* (cf. 1, 1) : allusion à RMac 24 = 3RP 1, 6-7 (Introd., chap. I, n. 8) ? Ou à Orléans I, can. 19 ? Voir aussi CÉSAIRE, *Reg. mon.* l(cf. *Reg. uirg.* 6 et 43). Remontrances à l'abbé : CÉSAIRE, *Reg. uirg.* 64 (cf. 73).

fratribus arguatur. [4]Si in uitium persteterit, in notitia episcopi deferatur. [5]Qui si ab episcopo correptus nec sic emendauerit, deponatur.

3. *Vestimenta* uero fratribus necessaria ita abba omnibus ordinare debet, *quae* monachis *deceant* ; [2]non diuersis coloribus tincta, excepto casullas quae conparantur, si fuerint nigrae, uti eas debere censemus.

4. *Familiaritat*em omnium *mulier*um tam parentum quam *extrane*arum pro *custodiendam uitam* uel cauendos laqueos *diaboli ab* omnia *monasteri*a uel culturolas *monachorum,* seu *frequent*ationem *monachorum* ad *monasteri*is *puellarum,* sicut regula docet, prohibere censemus. [2]Neque ulla mulier in interiore atrii monasterii ingredi audeat. [3]Quod si consilio uel uoluntate abbatis monasterium uel cellulas monachorum quis fuerit ingressa, [4]merito ipse abba et nomen abbatis deponat et

4 uitio perstiterit *AK h F m* ‖ in[2] : ad *m* ‖ notitiam *AK h F m* ‖ Qui : quod *m*

3, 1 abbas *AK h F m* ‖ monachos *F m* ‖ 2 exceptis *AK h F m* ‖ casullas : cocullis *AK* cucullis *F mh*

4, 1-5 *desunt F m* ‖ 1 Familiaritatum *T* ‖ custodienda uita... cauendis laqueis *AK h* ‖ omnibus monasteriis *AK h* ‖ culturolas : culturis *AK h* ‖ ad : a *AK h* ‖ 2 interius atrium *AK h* ‖ 3 uoluntatem *T* ‖ quis : quaedam *AK h* ‖ 4 abbas *AK h* ‖

3, 1 Agde, can. 20 ‖ **4,** 1 Agde, can. 10 et 28 ; cf. 1 Tm 3, 7.

4-5. Correction de l'abbé par l'évêque : Orléans I, can. 19 ; Orléans II (533), can. 21 ; Arles (554), can. 2-3. Déposition : Tours (567), can. 7 ; Paris (614), can. 4. Persévérance dans le mal : ROr 32, 6. *Qui − emendauerit* rappelle 2RP 43-44 ; ROr 32, 3-6. *Deponatur,* en finale et sans complément, comme dans Arles (314), can. 21 ; cf. Riez (439), can. 3. Au VIe s., *deponere* s'emploie d'ordinaire avec *ab* ou *de* (*CC* 148 A, p. 383).

3, 1. Outre Agde, reproduit par Mâcon (581-583), can. 5 (clercs), voir *Statuta eccl. ant.* 26 (clercs) et 99 (vierges) ; Orléans I, can. 20 (moines) ; Narbonne (589), can. 1 (clercs). *Ita* équivaut à *illa.*

les frères. ⁴S'il persiste dans sa faute, on le portera à la connaissance de l'évêque. ⁵Si après les remontrances de l'évêque il ne s'amende pas, il sera destitué.

3. Quant aux vêtements nécessaires aux frères, l'abbé doit procurer à tous des effets qui conviennent à des moines. ²Ils ne doivent pas être teints de couleurs variées, sauf les manteaux qu'on achète : s'ils sont noirs, nous décrétons qu'on doit les porter.

4. Pour protéger la vie monastique et la garder des pièges du diable, nous croyons devoir, comme le veut la règle, interdire d'abord à toute femme, parente ou étrangère, d'avoir des relations familières avec aucun monastère ou établissement agricole appartenant à des moines, et ensuite aux moines de fréquenter les monastères féminins. ²Et qu'aucune femme ne se permette d'entrer à l'intérieur du vestibule d'un monastère. ³Si l'une d'elles, avec l'avis et le consentement de l'abbé, entre dans un monastère ou dans des cellules de moines, ⁴cet abbé, en bonne justice, déposera son titre

---

2. Voir Introd., chap. I, n. 31-32. *Casullas* comme dans RMac 27, 2. Selon *RB* 55, 7, la couleur n'importe pas.

4, 1. *Familiaritas* : cf. RMac 6, 1. *Regula* : sans doute les actes du concile d'Agde. Celui-ci (can. 10) exclut seulement l'*extranea mulier,* non les *parentes.* De même, pour les clercs, Nicée (325), can. 10 ; Tours (461), can. 3 ; Orléans I, can. 29 ; Clermont (535), can. 16, etc., et pour les moines, Tours (567), can. 16. Exclusion des parentes : POSSIDIUS, *V. August.* 26 ; *V. Caesarii* I, 62. Accès des moines aux *monasteria puellarum* : Epaone (517), can. 38. *Culturolas* comme dans *V. Patr. Iur.* 36, 2 ; BENOÎT D'ANIANE (*PL* 103, 443 c) comprend *agrum.*
2-4. Cf. Tours (567), can. 17 (excommunication) ; Auxerre (561-605), can. 26 (trois mois de réclusion).
3. *Consilio uel uoluntate* : cf. ROr 3, 1. « Monastère » et « cellules » comme dans RMac 13, 1 (= 2RP 30) ; cf. Vannes (461-491), can. 7.
4. Abbés joints aux prêtres : Orléans I, can. 7 ; Orléans II, can. 13 ; Orléans IV, can. 11 ; Tours (567), can. 25, etc.

inferiorem se omnibus presbiteris recognoscat, ⁵quia talis
sancto gregi praeponi debet qui eos inmaculatos Deo offerre
procuret, non per quaslibet familiaritates diabolo sociare
festinet.

5. *Matutino dicto fratres* lectioni uacent *usque ad horam
secundam,* ²*si tamen nulla causa extiterit, qua necesse sit
etiam praetermissa* lectione *aliquid fieri in commune.* ³*Post
horam secundam unusquisque ad opus suum paratus sit
usque ad horam nonam,* ⁴*uel* quod *iniunctum fuerit sine
murmuratione perficiat.*

6. *Ad horam uero orationis, dato signo, qui non statim
praetermisso omni opere quod agit, quia nihil orationi
praeponendum est —* ²*ab abbate uel praeposito corripiatur,*
³*et nisi prostratus ueniam petierit, excommunicetur.*

7. *Ad mensam autem specialiter nullus loquatur,* ²*nisi qui
praeest uel qui interrogatus fuerit.*

8. *Ad necessaria quaerenda in cellula bini egrediantur uel
terni fratres,* ²*et ita illi quibus creditur,* ³*non qui uerbositatem
aut gulam sectantur.*

---

inferioribus *T* ǁ 5 familiaritates diabolo *T*
   5, 2 lectioni *T* ǁ 4 uel *om. AK h F m*
   6, 1 uero *om. F m* ǁ est : paratus fuerit *add. A²K h*
   8, 1 egredientur *m* ǁ 3 uerbisitatem *Fᵃᶜ* ǁ gula *T*

   5, 1-2 RMac 10 ǁ 3 RMac 11, 1-2 ǁ **6,** 1 RMac 14, 1-3 ǁ **7** RMac 18 ǁ **8,** 1-3
RMac 22.

---

5. *Sancto gregi* : cf. Césaire, *Reg. uirg.* 59 (*sanctae congregationi*).

5, 1. Omission de *-que* au début. *Lectioni uacent* pour *ita meditem
habeant fratres* (cf. 2RP 23 : *legant* ; ROr 24, 1 : *legendi*) ; même
expression dans *RB* 48, 4 (cf. Jérôme, *Ep.* 22, 35, 7).

   2. *Lectione* pour *meditem*, terme évité aussi par ROr 24, 1.

abbatial et se reconnaîtra inférieur à tous les prêtres, ⁵car le
saint troupeau doit avoir à sa tête un pasteur qui s'efforce
d'offrir à Dieu des brebis sans tache, non quelqu'un qui met
son zèle à les unir au diable par des relations familières de
toute espèce.

5. Quand on aura dit les matines, les frères vaqueront à la
lecture jusqu'à la deuxième heure, ²si toutefois il ne se trouve
pas de motif obligeant de supprimer la lecture pour faire
encore quelque chose en commun. ³Après la deuxième heure,
chacun sera disponible pour son ouvrage jusqu'à la neuvième
heure, ⁴et tout ce qui lui sera commandé, il l'exécutera sans murmure.

6. A l'heure de la prière, quand on donne le signal, celui
qui n'abandonne pas immédiatement tout ouvrage qu'il est en
train de faire — car rien ne doit être préféré à l'œuvre de
Dieu —, ²recevra une réprimande de l'abbé ou du préposé, ³et
s'il ne se prosterne pour demander pardon, il sera
excommunié.

7. A table, en particulier, que personne ne parle, ²excepté
le supérieur et celui qui est interrogé.

8. Pour chercher ce qui est nécessaire à la communauté,
qu'on sorte deux ou trois frères ensemble, ²et seulement
ceux-là qui inspirent confiance, ³non ceux qui s'adonnent au
bavardage ou à la bonne chère.

3-4. *Vero* omis avant *secundam*. *Quod* pour *quidquid*. Omission de
sicut docet sanctus Apostolus à la fin.

6, 1. *Paratus fuerit* manque à la fin, comme dans les autres témoins de
RMac.

2. Remplace l'exclusion (RMac 14, 4). Abbé et prévôt : RMac 27, 4.

3. Cf. RMac 26, 3 : *si... prostratus ueniam petierit...*

8, 1. *Si* omis au début, comme dans deux mss de RMac.

9. Si quis uero extra conscientia abbatis uel praepositi quocumque locum egressus gulae uel *ebriet*ati se sociauerit, [2]aut si in proximo transmissus pro sua leuitate uel gula non statim expedita necessitate ad cellulam redierit, [3]cum in id facinus fuerit detectus, *ut* canones docent, *aut triginta die*bus *a communione* separetur, *aut* uirgis caesus emendetur.

10. *Quod si casu quis frater de cell*ula *ex qualibet scandali causa exire uoluerit,* [2]*nihil penitus nisi nugalissimo induatur uestimento* [3]*et extra communionem infidelis discedat.*

11. Illud quoque statuimus, ut abbates omni tempore cum fratribus reficiant, [2]quia eo tempore quo fratres aut pro negligentia arguere aut spiritali debent sermone inbuere, absque certa necessitate se remouere non debent.

12. [1]*Id etiam* pro *custodiendam famam special*iter *statuimus,* [2]*ut nullus* monachus in infirmitate positus relicto monasterio parentum suorum pro studio commendetur, [3]quia

9, 1 conscientiam *A K h F m* ‖ quocumque : qualemcumque *A K h F m* ‖ guilae *T* ‖ ebrietati : -te *T* hebrietate *A*ᵃᶜ *ut uid.* hebrietati *A*ᵖᶜ ‖ gulae *A K F m* guile *T* ‖ cellulam : cellam *A K h* ‖ cum − detectus *om. m*

10, 1-3 *desunt F m* ‖ 1 casu : causa *T* ‖ 3 communione *A K h*

11, 2 neglegentia *A K F* ‖ non *om. A*ᵃᶜ

12, 1 custodienda fama *A K h F m* ‖ 2 pro *om. A K h F m* ‖ 3 quia *T A*²*K mh* : qui *A F*

9, 1-3 Agde, can. 41.

10, 1-3 RMac 28, 1-3 ‖ 3 cf. 1 Co 7, 15.

12, 1-2 Agde, can. 10 ‖ 3 Agde, can. 39.

9, 1. Cf. Césaire, *Reg. uirg.* 43 : *extra conscientiam... abbatissae* ; ROr 26, 4 : *absque conscientia abbatis.*

3. *Vt canones docent* se réfère à Agde, can. 41 = Vannes, can. 13 (cf. Introd. chap. I, n. 13), et rappelle Agde, can. 22 : *quod omnes canones iubent.*

10, 1. *Cellula* pour *cella. Scandali causa* : interversion.

3. A la fin, omission des considérants spirituels de RMac 28, 4-7.

9. Si quelqu'un sort pour aller n'importe où, sans que l'abbé ou le préposé soit au courant, et s'abandonne à la bonne chère et à l'ivresse, [2]ou si, envoyé dans le voisinage, il cède à sa légèreté ou à son goût de la bonne chère et ne revient pas en communauté aussitôt sa mission accomplie, [3]quand ce forfait sera découvert, il sera, comme le veulent les canons, ou bien privé de communion pendant trente jours, ou bien corrigé à coups de verges.

10. Si d'aventure un frère veut quitter la communauté pour motif de discorde, quel qu'il soit, [2]on ne lui mettra absolument rien d'autre qu'un vêtement tout à fait ridicule, [3]et il s'en ira hors de la communion comme un infidèle.

11. Nous décidons aussi que les abbés mangeront en tout temps avec les frères, [2]car, au temps où ils doivent reprendre les frères pour leurs négligences et leur donner des avis spirituels, ils ne doivent pas s'absenter sans raison précise.

12. De façon toute particulière, en vue de sauvegarder le bon renom des religieux, nous établissons en outre [2]qu'aucun moine souffrant de maladie ne quittera le monastère pour être confié aux soins de sa parenté, [3]car nous estimons qu'il court

---

11, 1-2. Cf. 7, 2. Prescription comme chez Césaire et Aurélien, mais motivation originale (Introd., chap. I, n. 33). Au réfectoire, l'abbé reprend ceux qui n'écoutent pas la lecture par « négligence » : *RM* 24, 34-37. Il y explique la lecture : *RM* 24, 19 ; *RB* 38, 9.

12, 1-2. Remploi d'un canon déjà utilisé (4, 1). *Monachus* remplace *clericorum*. Ce moine malade qu'on envoie se soigner hors clôture rappelle Césaire (Introd., chap. I, n. 34). Cf. JÉRÔME, *Ep.* 22, 35, 7 ; FRUCTUEUX, *Reg.* II, 7. Le second *pro*, omis par Benoît d'Aniane, fait difficulté.

3. Application aux sorties des moines d'un canon interdisant aux clercs les banquets de noces. Cf. *RB* 67, 4, qui a aussi *uisus aut auditus ; V. Patr. Iur.* 50 : *ne saeculi... inlecebris... delinitus... auditu... pollueretur aut uisu.*

magis eum saecularium *spectaculorum* uisu aut *auditu pollu*i censemus quam ab aegritudine posse purgari.

13. *Si quis* uero monachus *furtum fecerit,* quod potius sacrilegium dici potest, [2]id censuimus ordinandum, [3]ut iunior uirgis caesus *tanti* criminis *reus numquam officium* clericatus excipiat ; [4]si uero iam *clericus* in id facinus fuerit deprehensus, nominis ipsius *dignitate priu*etur ; [5]*cui sufficere* potest *pro actus sui leuitate impleta paenitenti*ae *satisfactione communio.*

14. *Monachum nisi abbatis sui aut permissu aut uoluntate ad alterum monasterium commigrantem nullus abba aut suscipere aut retinere praesumat.* [2]Quod si ad districtiorem regulam non pro actus sui leuitate tendentem abbas suus ipsum ad alterum monasterium transire permiserit, [3]ut inde postea sub aliqua occasione egredi praesumat, nulla ratione permittimus.

13, 2 ordinandum A^2K *mh* : -do *T F* ordinand A^{pc} *ut uid.* ‖ 4 nomen *T* ‖ 5 actos *T*

14, 1 ad *om. F* ‖ alterum : aliud *h* ‖ abbas *AK h F m* ‖ 2 districtiorem : districtionem *T* F^{ac} ‖ actos *T* ‖

13, 1 Agde, can. 5 ‖ 3 Orléans I, can. 21 ‖ 4 Agde, can. 5 ; Orléans II, can. 14 ‖ 5 Orléans II, can. 8 ; Agde, can. 5 ‖ **14,** 1 Agde, can. 27 ‖

13, 1. Cf. Orléans III (538), can. 9 (*admiserit*), moins proche qu'Agde, dont le *fecerit* se retrouve à Auxerre (561-605), can. 23. « Sacrilège » : voir Introd., chap. I, n. 36 ; cf. **BASILE**, *Reg.* 104 ; *Reg. Tarn.* 1, 9.

le risque d'être souillé par ce qu'il verra et entendra chez les séculiers, bien plutôt que guéri de son mal.

13. Si un moine commet un vol, ou pour mieux dire : un sacrilège, ²voici ce que nous croyons devoir établir : ³s'il est de rang inférieur, il sera battu de verges et, pour s'être rendu coupable d'un tel crime, il ne recevra jamais d'office clérical ; ⁴si, au contraire, il était déjà clerc quand on l'a pris à commettre pareil forfait, on lui ôtera ce titre et cette dignité ; ⁵après avoir fait pénitence et satisfaction pour la légèreté qu'il a commise, il lui suffira de pouvoir communier.

14. Quand un moine change de monastère, aucun abbé ne se permettra de le recevoir et de le garder sans la permission ou le consentement de son abbé. ²Si son abbé lui a permis de passer à l'autre monastère parce que, loin d'avoir commis quelque légèreté, il est à la recherche d'une règle plus stricte, ³nous ne lui permettons nullement de profiter ensuite de quelque occasion pour en sortir.

---

3. *Virgis caesus* comme en 9, 3. Fouet pour vol : Introd., chap. ɪ, n. 19. Moine inapte à la cléricature pour faute grave : outre Orléans I, voir Arles II (442-506), can. 25 (*clericatus officium*) ; Agde (506), can. 27 (*officium clericatus*), canon remployé plus loin (14, 1).

4. Remplacé plus haut par *monachus* (13, 1), le *clericus* d'Agde, can. 5, reparaît ici. *Si — deprehensus* (cf. Introd., chap. ɪ, n. 37) rappelle 9, 3. *Loci sui* (Orléans II) est remplacé par *nominis ipsius,* qui rappelle 4, 4.

5. Déjà Agde réduit le clerc voleur à la *peregrina communio.* Orléans II fournit la présente formule, qui vise le diacre marié.

14, 1. Cf. RIVP 4, 4-6. Voir Introd., chap. ɪ, n. 42-43.

2. Cf. RIVP 4, 7-8 ; Ferréol, *Reg.* 6. *Districtiorem regulam* rappelle Agde, can. 38 (*asperior... regula* ; il s'agit du mouvement inverse : relaxation), et fait penser à RIVP 4, 11-12 (exigences nouvelles de désappropriation). *Pro actus sui leuitate* comme en 13, 5 (cf. 9, 3).

3. Au lieu de régler la conduite du frère dans son nouveau monastère (RIVP 4, 9-13), on lui interdit seulement d'en sortir.

[4]*Sane si quis post hanc diligentissimam sanctionem non obseruare quae sunt superius conprehensa* praesumpserint, [5]*reos se diuinitatis pariter et fraternitatis iudicio futuros esse cognoscant.*

4-5 *desunt F m* || 4 praesumpserit *AK h* || 5 reum *AK h* || pariter et fraternitatis *om. T ex homoeotel.* || futurum... cognoscat *AK h* || cognoscant : finit regula *add. T* explicit regula a sanctis patribus prolata *add. AK h*

4-5 Orléans II, can. 21.

⁴Si donc, après des décisions aussi soigneusement prises, d'aucuns se permettent de ne pas observer ce qui a été marqué ci-dessus, ⁵ils encourront, qu'ils le sachent bien, la double condamnation de Dieu et de leurs frères.

---

4. Voir Introd., chap. II, n. 19. *Obseruare... praesumpserint* pour *obseruauerint*.

5. Conclusion prise par Orléans II à Epaone (517), can. 40, que reproduit Orléans III, can. 36 (singulier). Voir aussi Orléans IV, can. 38 ; *Reg. Tarn.* 6, 3.

RECENSION SUD-ITALIENNE
DES QUATRE PÈRES (II)

INTRODUCTION

CHAPITRE I

Nature du texte et destination

Outre sa forme courante (E), qui seule a été considérée jusqu'ici, la Règle des Quatre Pères nous est parvenue dans un autre état, auquel J. Neufville a donné le nom de recension Π.

L'unique manuscrit (P) Ce texte ne subsiste que dans un seul manuscrit, le *Parisinus lat. 12205 (P)*, qui appartint à la bibliothèque de Corbie mais semble avoir été écrit en Italie du Sud vers 600[1]. Dans ce très beau *codex*, la Règle des Quatre Pères est suivie de la Règle du Maître (*RM*), dont les *Capitula* succèdent immédiatement à l'*Amen* final de Macaire sans qu'aucun titre sépare les deux œuvres[2]. A la fin de la *RM*, l'union des deux règles est de

---

1. Voir notre édition de *La Règle du Maître*, t. I, p. 125-126. La RIVP se trouve dans *P* aux folios 61ʳ-64ᵛ. Voir H. Vanderhoven — F. Masai, *La Règle du Maître, Édition diplomatique des manuscrits latins 12205 et 12634 de Paris*, Bruxelles-Paris 1953, p. 125-132.

2. Fol. 64ᵛ, lignes 10-11 (p. 132, lignes 234 et 1).

nouveau suggérée par un *Explicit regula sanctorum Patrum*[3], qui semble englober l'ouvrage du Maître dans celui des Quatre Pères.

Le même *Explicit* se lit après la *RM* dans le *Codex regularum* de Benoît d'Aniane[4], ce qui donne à penser que le compilateur carolingien a trouvé la *RM* dans un manuscrit où elle était annexée, comme dans *P,* à la Règle des Quatre Pères. Mais quoi qu'il en soit du modèle de Benoît, ce dernier ne nous a pas conservé la recension Π des Quatre Pères, à la place de laquelle se lit chez lui, juste avant la *RM,* la *Regula cuiusdam Patris.* Réduits à l'exemplaire unique qu'est *P,* nous devons donc concentrer sur lui toute notre attention.

Les rubriques séparant les discours　　Deux faits saillants y sont à relever avant tout. D'abord les rubriques que *P* insère entre les discours des Pères. Non seulement il nomme « Sérapion, Macaire, Paphnuce et l'autre Macaire » dans un *Incipit* général, comme le faisait E, mais avant le *N dixit* qui précède chacun des trois derniers discours, il introduit un *Explicit* et un *Incipit* supplémentaires. Le premier couple que forment ceux-ci a le libellé simple *Explicit sancti Serapionis. Incipit sancti Macharii,* tandis que les suivants ajoutent des ℟ qui font de chaque discours une « réponse » : *Explicit responsum (ou responsio) sancti Macharii. Incipit responsum sancti Paunuthi,* et plus loin *Explicit responsum sancti Paunuthi. Incipit responsum sancti Macharii.*

---

3. Fol. 157ʳ, ligne 26 (p. 317, ligne 49).

4. Munich, *Clm 28118* (sigle : *A*), fol. 184ᵛ ᵇⁱˢ. Voir *La Règle du Maître,* t. I, p. 125-126. Quant à la RIVP, le *Codex* la reproduit aux fol. 19ᵛ-21ᵛ, dans un texte de la recension E à peu près identique à celui du ms. *B* de Neufville (famille α). Elle y suit la *RB* et le Pénitentiel annexe de Benoît d'Aniane, qui en a fait la première des règles non bénédictines de son *Codex,* avant la Seconde et la Troisième Règle des Pères, la *Regula Macharii* et le corpus pachômien. Le fait que Benoît d'Aniane avait déjà transcrit la RIVP au début de son *Codex* explique sans doute qu'il l'ait omise avant la *RM.*

Ces rubriques sont à rapprocher de celles qui parsèment ensuite la *RM*. Là aussi, des *Incipit* et *Explicit* intérieurs délimitent certaines sections de l'ouvrage[5], et une rubrique de « réponse » (*Respondit Dominus per magistrum*) se lit au début de la plupart des chapitres[6]. Dans la *RM*, toutefois, cette « Réponse du Seigneur par le Maître » fait pendant à une « Interrogation des disciples » qui précède normalement le titre du chapitre. Ici, au contraire, la mention *responsum* ne correspond à aucune interrogation antécédente et par suite manque de sens. Un scribe paraît l'avoir ajoutée de façon un peu mécanique et irréfléchie, peut-être par analogie avec la présentation du Maître, où d'ailleurs les rubriques d'Interrogation ont souvent aussi quelque chose d'artificiel[7].

L'ajout final (RIVP 6)

Un deuxième trait particulier du ms. *P* est l'épilogue qu'il ajoute au texte courant. Après avoir suivi celui-ci jusque dans ses derniers développements — ceux des mss longs E_1 et *M* — et inscrit l'*Amen* final, il prolonge le texte par sept lignes entièrement neuves qui se terminent par une nouvelle doxologie et un nouvel *Amen* (6, 1-4).

Ce petit appendice prend d'abord la forme d'une béatitude : « Heureux celui qui lit ces choses fidèlement, et heureux qui les entend de bon cœur. » Ensuite vient une menace de damnation lancée à « celui qui lit ou qui entend » sans mettre en pratique. Enfin un appel à « prier sans cesse » pour être arraché à ce sort affreux et admis dans la gloire éternelle. Chacune de ces phrases rappelle plus ou moins nettement les morceaux d'introduction de la *RM* qui suivent dans le manuscrit[8]. Aussi est-on fondé à penser que cet ajout

---

5. Voir *La Règle du Maître*, t. I, p. 151-156.

6. *Ibid.*, p. 158-169.

7. En effet, il arrive souvent que les titres du Maître n'aient pas la forme interrogative.

8. Voir *La Règle de saint Benoît*, t. IV, p. 26, n. 2. On pourrait ajouter

de *P* a été composé d'après la *RM* et en vue de relier la Règle des Quatre Pères à celle-ci[9].

Priorité de E
par rapport à π

Nous reviendrons sur les rapports de π avec l'œuvre du Maître. A présent il nous faut d'abord clarifier sa relation au texte E.

A comparer les deux recensions, il apparaît qu'elles ne diffèrent le plus souvent que par des détails d'expression. Quant au fond, les divergences sont extrêmement rares et ténues. A cet égard, on relève surtout, dans π, l'absence de la phrase du début sur le « désert désolé et les monstres terrifiants » qui « empêchent les frères d'habiter chacun de son côté » (1, 2), ainsi que la présence, vers la fin, de trois propositions originales sur l'acception de personnes et l'iniquité (5, 13), la responsabilité de ceux qui négligent de corriger (5, 15) et le devoir d'édifier par l'exemple qui incombe au « vrai docteur » (5, 16). Deux de ces trois incises, notons-le en passant, font de nouveau penser au Maître[10].

E et π ne sont donc pas des législations différentes, mais seulement deux rédactions distinctes du même code. Quelle est la plus ancienne ? Il semble que ce soit E. Déjà la longueur maxima atteinte par π le suggère : englobant même les textes des chapitres 4 et 5, qui paraissent secondaires, π y ajoute encore un appendice, dont la conclusion fait manifestement double emploi avec celle du chapitre 5.

En outre, les propos de cette recension sur le « vrai docteur », qui « édifie les autres non seulement par la parole mais aussi par les actes » (5, 16), font dévier le discours de

---

que *audit libenter* (RIVP 6, 1) rappelle *RM* 3, 61, mais l'expression, fréquente chez Césaire d'Arles et ailleurs, est peu caractéristique.

9. Voir *La Règle de saint Benoît*, t. IV, p. 26-27, où nous conjecturons en outre que *primo tibi qui legis deinde et tibi,* dans *RM* Pr 1, est une interpolation du rédacteur π. Ces mots se lisent aussi dans le ms. *A*.

10. Comparer π 5, 13 et *RM* 2, 19 (pas d'acception de personnes en Dieu) ; π 5, 16 et *RM* 2, 12-13 (parole et exemple ; quant aux « docteurs », qui « édifient les autres », cf. *RM* 1, 87-89).

Macaire, dont le sujet n'est pas la fonction d'enseignement
des supérieurs, mais leur devoir spécifique de corriger.
Malgré le *ergo* que Π introduit au début de la phrase, celle-ci
apparaît comme un hors d'œuvre.

Enfin la comparaison du style des deux textes met en
évidence le soin accru qu'apporte Π, notamment par les
conjonctions initiales — tel le *ergo* que nous venons de
relever — qui relient chaque phrase à la précédente, au lieu
qu'elles soient simplement juxtaposées comme dans E. Ces
améliorations grammaticales et stylistiques, que nous allons
étudier en détail, indiquent nettement une révision de E par
Π. L'inverse — une détérioration non accidentelle mais systé-
matique de Π par E — ne se comprendrait pas.

Pour toutes ces raisons, il ne fait pas de doute que le texte
courant représente l'état primitif de la Règle des Quatre
Pères, et Π un état secondaire résultant d'une correction[11].

Comment Π corrige E :   Cette toilette du texte n'a pas
omissions et ajouts   été faite de façon absolument
                               uniforme. Le début du second
discours de Macaire, par exemple, est bien moins corrigé que
les morceaux environnants[12].

Vers le même endroit, en outre, le réviseur renverse sa
tendance. Au long des trois premiers chapitres, il a d'ordinaire abrégé légèrement, omettant trois phrases, dont deux
citations bibliques, et n'ajoutant que peu de chose[13]. Une
dernière fois, au début du quatrième discours, il omet les

---

11. Aussi est-il regrettable que Π figure sur les pages de gauche de
l'édition de J. NEUFVILLE, « Règle des IV Pères », dans *Rev. Bénéd.* 77
(1967), p. 72-91, ce qui donne au lecteur l'impression que c'est là le texte
originel. De cette présentation résulte le choix également malheureux des
traducteurs italien et américain, qui ont traduit Π au lieu de E.

12. RIVP 4, 1-12.

13. Sont omis RIVP 1, 2 ; 2, 6 ; 2, 20. Cependant 2, 6 et 2, 20
manquent aussi dans μ . Quelques mots sont ajoutés en 2, 13 (citation
complétée) ; 3, 20-21, etc.

mots *Firma ergo est regula pietatis*[14]. Ensuite il ne fera qu'allonger, toujours légèrement. Au supérieur et à son second, seuls mentionnés par E à propos des oraisons, s'ajoute dans Π « n'importe quel autre frère qu'il voudra[15] ». Et surtout l'appendice sur la correction donne lieu aux trois petites additions dont nous avons parlé[16]. Après cela, on ne s'étonne pas de trouver dans Π un épilogue entièrement neuf. Les pages précédentes témoignaient déjà de cette tendance à développer.

Traitement des citations Ce que nous venons de dire concerne les ajouts véritables, ceux qui affectent le texte propre de la règle. Par ailleurs, Π est également porté à allonger les citations scripturaires de E. On trouve ainsi une dizaine de citations complétées[17], et seulement une citation simplifiée[18]. De plus, dans une demi-douzaine de cas, Π modifie le texte cité, tantôt en se rapprochant de la Vulgate[19], tantôt en s'en écartant[20]. A vrai dire, les accords nouveaux avec la Vulgate dénotent moins une fidélité particulière à celle-ci que

---

14. RIVP 4, 2.

15. RIVP 4, 17. Déjà le « second » est désigné par une longue périphrase.

16. RIVP 5, 13.15.16. Noter auparavant les citations complétées (5. 7-9).

17. RIVP 1, 13 (He 13, 17) ; 1, 17 (Jn 6, 38) ; 2, 31 (Mt 19, 21 ; mais cf. μ) ; 3, 12 (Ph 2, 14) ; 5, 7 (1 Co 5, 11) ; 5, 8 (2 Th 3, 14-15) ; 5, 9 (Ga 6, 1) ; 5, 14 (Ps 57, 2) ; 5, 17 (1 Th 5, 14).

18. RIVP 4, 6 (1 Tm 5, 12, sans 1 Tm 5, 8). Voir aussi 2, 6 et 20 : omission complète de 1 Co 4, 21 et Ps 88, 11 ; cf. ci-dessus, n. 13.

19. RIVP 1, 13 (He 13, 17 : *peruigilant*) ; 2, 4 (2 Tm 4, 2 : *in*) ; 3, 12 (Ph 2, 14 : *quae facitis* om.) ; 3, 13 (1 Co 10, 10 : *perierunt ab exterminatore*) ; 5, 9 (Ga 6, 1 : *praeoccupatus fuerit*).

20. RIVP 1, 1 (Ps 32, 5 : *Domini misericordia,* inversion non attestée ; mais cf. μ) ; 3, 13 (1 Co 10, 10 : *murmurauerunt* om.) ; 5, 9 (Ga 6, 1 : *corripite*) ; 5, 14 (Ps 57, 2 : *iusta* = Psautier Romain).

l'abandon des libertés prises par E à l'égard de toute version du texte sacré.

Le nouveau nom
du supérieur :
« praepositus »

Considérons maintenant les traits les plus généraux de la révision opérée par Π. Ils sont au nombre de trois : changement du nom donné au supérieur, suppression ou modification des sous-titres et annonces, insertion de termes de coordination au début des phrases.

Dans E, on s'en souvient, le supérieur était habituellement désigné par *is qui praeest*, parfois par *ille qui praeest, qui praeest* ou quelque périphrase analogue. Dans Π, ce tour ne subsiste que cinq fois[21]. Encore deux de ces emplois sont-ils au pluriel, et le dernier vise-t-il moins le chef unique du monastère qu'un ensemble de responsables. Ailleurs *is qui praeest* est constamment remplacé, que ce soit par *senior* à deux reprises ou par *praepositus* dans les onze cas restants[22]. Ce nom de *praepositus* apparaît donc comme le titre habituel du supérieur. Quand Π, qui supprime quatre mentions de celui-ci[23], en introduit de nouvelles, il emploie une fois *senior* et une fois *praepositus*[24].

Le passage de *is qui praeest* à *praepositus* va de pair avec le remplacement d'une périphrase analogue de E, *is qui talis est,* par des expressions plus simples[25]. En revanche, le « second » de E reçoit dans Π une désignation périphrastique[26], qui exprime peut-être une notion un peu différente.

---

21. RIVP 2, 2 (pluriel !) ; 2, 15 ; 2, 42 ; 3, 14 (*is* ajouté) ; 5, 11 (*praesto estis* remplacé par *praeestis*).

22. RIVP 2, 7 et 3, 18 (*senior*). *Praepositus* : 2, 3.10.38.40.41 ; 3, 22 ; 4, 4.7 (bis).13.17.

23. RIVP 2, 21.28.32 ; 3, 15.

24. RIVP 2, 33 (*senioris* ; s'agit-il d'un seul supérieur ?) ; 3, 20 (*praepositi*). Sur *doctor,* voir ci-dessus, n. 10.

25. RIVP 2, 25 (*huiusmodi... uir*) ; 3, 18 (*si quis* ; cf. 3, 16).

26. RIVP 4, 17 : *qui post eum est in ordine* (« le plus ancien », et non « le lieutenant » ?). Cf. ci-dessous, chap. II, n. 40-43.

Traitement   Dans E, les discours des
des sous-titres   Pères étaient morcelés en petites
et annonces   sections dont chacune commen-
                        çait par une phrase d'intro-
duction utilisant l'adverbe interrogatif *Qualiter*[27]. De ces
treize annonces, cinq étaient de véritables sous-titres,
c'est-à-dire de simples interrogations indirectes qui ne dépen-
daient d'aucun verbe principal.

π n'a gardé aucun de ces sous-titres. Au minimum, il les
rattache à un verbe indépendant, ajouté à cet effet[28], de sorte
que le sous-titre devient une simple annonce. Parfois toute
trace d'annonce disparaît[29].

Quant aux annonces ordinaires de E, elles sont toutes
conservées, et de plus π les uniformise en introduisant
partout l'adjectif verbal. Au lieu de se rencontrer seulement
dans quatre annonces, surtout sous la forme négative *Nec
hoc tacendum est...*[30], l'adjectif verbal apparaît désormais
dans huit cas, avec prédominance de formes positives telles
que *monstrandum est*[31]. Ce goût pour l'adjectif verbal positif
se retrouve d'ailleurs à deux reprises dans les sous-titres
transformés[32].

Les mots de liaison   Venons-en au dernier trait
                            saillant de π : son souci de lier
le discours par des termes de coordination. Souvent E se
contentait de juxtaposer les phrases. En ces cas, π a soin de

---

27. Remplacé une fois par le pronom *qualis* (3, 23).

28. RIVP 2, 36 (*docendum*) ; 3, 15 (*Ostendendum etiam est*) ; 3, 21
(*ordo iste teneatur*).

29. RIVP 3, 23 ; 4, 14.

30. RIVP 3, 12 ; 4, 3 ; 5, 1, auxquels s'ajoute 2, 7 (*Decernendum est*).
Les trois premiers sont conservés par π, le quatrième légèrement modifié
(cf. note suivante).

31. RIVP 1, 9 et 2, 2 (*monstrandum est*) ; 2, 7 (*Discernendum est*,
corrigeant E, cf. n. précédente) ; 2, 16 (*Ostendendum est*) ; 3, 8
(*Instruendum... est*).

32. RIVP 2, 36 et 3, 15 (note 28). Cf. 2, 37 et note.

corriger l'asyndète[33]. C'est ainsi qu'il insère 2 *autem* et 7 *uero*, 4 *ergo* et 4 *igitur*, 1 *adtamen* et 2 *uerumtamen*, 1 *itaque* et 3 *enim*, 1 *quapropter* et 2 *qui* (relatifs de liaison). Deux fois aussi il ajoute *et* et *quoque*, une fois *deinde, etiam, nec* et *sed*, sans compter un *idem* et un *memoratus* qui remplissent des fonctions analogues[34]. Au total, quelque 40 mots de liaison nouveaux s'introduisent de la sorte dans le discours des Pères.

Assez souvent, en outre, Π montre son intérêt pour les termes de coordination en changeant ceux qu'il trouve dans E. En général ces substitutions tendent à renforcer les liaisons[35]. On trouve ainsi deux nouvelles fois *autem, etiam, qui* et *uerumtamen*, une fois *ac, deinde, enim, ergo, idem, id est, igitur, ita, item, sed, uero, uerum (etiam)*, soit une vingtaine de mots changés.

Renforcement de l'expression   La tendance au renforcement n'apparaît pas seulement dans ces liaisons. Elle se manifeste aussi par l'adjonction d'adverbes d'intensité. *Omnino* et *omnimodo*, termes inconnus de E, reviennent respectivement quatre et deux fois dans Π, qui ajoute encore ici un *uel modicum* ou un *omnibus* (3, 31), là un *grauiter* ou un *praecipue*, et change ailleurs *boni* en *optimi*.

A l'opposé, il est vrai, Π supprime une fois *omni*[36], et à deux reprises la tournure *non* (ou *nulla*) *nisi*[37]. Mais ce

---

33. Pour tous les termes indiqués ci-après, voir l'Index.

34. Noter l'absence de *nam* et de *namque*, aussi bien dans Π que dans E et dans 2RP. Les deux mots sont fréquents chez le Maître, surtout le premier.

35. En particulier *autem* est remplacé par *uero* (2, 35), *qua etiam* (3, 6), *uerumtamen* (3, 20), tandis que *sed* se change en *uerumtamen* (2, 28), *eis* en *quibus* (2, 37), *eo* en *eadem* (3, 7). Cependant *uero* devient *autem* en 5, 4.

36. RIVP 5, 6.

37. RIVP 3, 5-6.

dernier fait relève plutôt d'une autre tendance : éviter les répétitions.

Répétitions   Le rédacteur de Π se montre
supprimées   en effet sensible à la monotonie
                        du vocabulaire de E et s'efforce
d'y remédier en variant ses expressions. Un bon nombre de répétitions disparaissent de la sorte. Voici par exemple les trois premiers cas d'une liste qui en compte plus de vingt[38] :

1, 7 : *regula... regulam* devient *regula... institutionem.*
1, 8-10 : *Volumus ergo* (bis) devient *Volumus ergo... Vnum igitur.*
1, 15 : *Deo... Dei* devient *Deo... eius.*

Dans ces trois cas, c'est le second terme du doublet qui a changé. Mais il arrive aussi que ce soit le premier :

2, 10-11 : *nullus praesumat* (bis) devient *nulli liceat... nullus praesumat.*

La même tendance à varier s'exerce à distance sur des mots très fréquents dans E comme *qualiter* et *tenere,* que Π remplace ou omet 5 et 6 fois respectivement, ou *nisi* qui se change en *quam* (3, 3), en *sed* (2, 26) ou en *sine* (4, 13), quand il n'est pas simplement omis (3, 5-6 ; 4, 16).

Cet effort pour éviter la répétition n'empêche pas Π de succomber lui-même à pareil défaut. A sept reprises, il lui arrive de se répéter alors que E ne le faisait pas[39]. Mais le nombre inférieur et l'ampleur souvent moindre de ces faits opposés suggèrent qu'il s'agit de manquements plus ou moins involontaires, d'exceptions à la règle.

---

38. Après les quatre cas cités ci-dessous, voir 2, 11 (*ordo*) ; 2, 34-35 (*non erit*) ; 2, 35 (*habere*) ; 2, 38-39 (*licebit*) ; 3, 3-7 (*nec... nisi*) ; 3, 12 et 14 (*iniungere*) ; 3, 22-28 (*debet*) ; 3, 28-29 (*nosse*) ; 4, 4-5 (*recipere*) ; 4, 7-9 (*in... monasterio*) ; 5, 1 (*culpae*).

39. RIVP 2, 30 (*facere*) ; 2, 34-35 (*debet*) ; 2, 40-42 (*quos ipse uoluerit*) ; 2, 42 (*ex*) ; 3, 21 (*officiis*) ; 4, 11-13 (*liceat*) ; 4, 17 (*aliquis*).

Améliorations   On peut en dire autant d'un
grammaticales   autre couple de phénomènes
                           contraires : les améliorations et
détériorations grammaticales. En général, Π est plus
« correct » que E[40], bien qu'il lui arrive de l'être moins[41].

Phénomènes divers   C'est encore une habitude de
                           Π que d'adjoindre un détermi-
natif — généralement un adjectif — aux substantifs et
pronoms solitaires de E[42]. Les cas contraires sont exception-
nels[43]. Π a aussi une préférence marquée pour les verbes
passifs[44], tout en opérant parfois le changement inverse[45].

En revanche, on trouve dans Π presque autant de pluriels
changés en singuliers que de singuliers changés en pluriels[46],
d'expressions redoublées que d'expressions simplifiées[47]. A
cet égard, on ne discerne pas de tendance nette. Peu significatives également nous paraissent les très nombreuses

---

40. Morphologie : 1, 1 (*tendunt*) ; 3, 12 (*meminisse*) ; 3, 13 (*illud*) ; 4,
18 (*nulli*). Syntaxe : 1, 17 (*supernis*) ; 2, 42 (*cuiquam* ; mais pourquoi le
datif ?) ; subjonctif dans l'interrogation indirecte : 3, 19 et 30 ; 4, 10 ;
anacoluthe supprimée : 4, 19 ; 5, 15 (?).

41. Ainsi Pr, T (*alii*) ; 1, 3 (*Spiritui sancto praeceptis*) ; 2, 42 (datif
cuiquam) ; 4, 17 (anacoluthe *siue quemcumque alium*).

42. RIVP 1, 1 (*beatae*) ; 1, 8 (*omnes*) ; 2, 37 (*alius*) ; 2, 37 (*haec*) ; 3, 7
(*memorata*, mot de liaison) ; 3, 12 (*illud*) ; 3, 14 (*idoneo* ; en outre *fratri*
remplace *uni*) ; 3, 30 (*Baltasar*) ; 4, 13 (*sanctis*) ; 5, 18 (*aeternam*).

43. RIVP 1, 7 (*praeclaram* om.) ; 5, 6 (*omni* om.).

44. RIVP 2, 8 (*est tenenda*) ; 2, 14 (*dicitur*) ; 2, 15 (*ferri... obaudiri*) ; 2,
16 (*ostendendum est* ; cf. n. 31) ; 2, 18 (*amputari*) ; 2, 21 (*custodiri*) ; 2, 28
(*instrui*) ; 2, 33 (*custodiatur... oboediatur*) ; 2, 37 (*dandum*).

45. RIVP 2, 25 (*se eximere*) ; 2, 35 (*existat*) ; 3, 12 (*oboediunt*).

46. Nouveaux pluriels : 2, 35.38.40.42 ; 3, 1 ; 5, 5. Nouveaux
singuliers : 4, 11.14.15.19.

47. Redoublement : Pr 2 ; 1, 11.12.18 ; 2, 3 ; 5, 3.10. Simplification :
Pr 3 ; 1, 11 (*imperio*) ; 2, 15.27.41 ; 5, 3 (*congregatione*).

inversions de mots — une quarantaine —, à moins qu'elles ne concourent à modifier le cursus rythmique en fin de phrase[48].

**Conclusion :
une toilette en vue
de la lecture publique**

Au total, π est certainement le résultat d'un polissage littéraire. On peut même dire que π n'est que cela, ses retouches du contenu étant insignifiantes. Comment donc expliquer cette toilette de pure forme, à la fois minutieuse et superficielle, dont on n'a pas d'exemple dans le reste de la collection des règles[49] ?

Le respect du contenu suggère d'abord une sorte de vénération pour l'opuscule, dont les auteurs sont d'ailleurs mis en évidence et qualifiés de « saints » par les rubriques d'*Incipit* et d'*Explicit* qui encadrent les discours. En même temps ce respect peut dénoter une certaine distance prise par rapport à la législation des Quatre Pères : tout en la vénérant, on ne juge pas opportun de la mettre à jour et de l'appliquer sous une forme adaptée, comme le fait la Seconde Règle.

De son côté, le souci d'améliorer la forme indique un usage communautaire encore actif et important. A cet égard, deux passages paraissent significatifs. D'abord la conclusion du troisième discours, où il était prescrit, selon E, « d'observer ces préceptes et de les énumérer chaque jour aux oreilles des frères[50] ». Sans doute « Paphnuce » pensait-il déjà à la

---

48. Voir 3, 15 (*uelox*) et 18-20 (un *tardus* et deux *uelox*), où d'autres changements s'ajoutent aux inversions. Cf. 2, 15.35.

49. Dans la tradition textuelle de la *RB*, le texte dit « interpolé » est bien moins différent du « pur » que π ne l'est de E, même si l'on tient compte des *jüngeren Gebrauchstext-Lesarten* rassemblées par Kl. ZELZER, « Zur Stellung des Textus Receptus und des interpolierten Textes in der Textgeschichte der Regula S. Benedicti », dans *Rev. Bénéd.* 88 (1978), p. 205-246 (voir p. 244-246). Au sein même de la tradition de la RIVP, le texte α (ms. *T*), fortement altéré, a environ deux fois moins de variantes que π par rapport à E.

50. RIVP 3, 31 : *Custodienda sunt ista praecepta et per singulos dies in aures fratrum recensenda.*

lecture publique du texte, mais le verbe employé — *recensenda*, énumérés — ne le disait pas clairement. S'emparant de cette prescription, Π en souligne la première partie, comme il le fait souvent, par un *omnino,* mais surtout il clarifie la seconde partie en précisant que les préceptes doivent être chaque jour « lus en public à tous les frères qui les écoutent ensemble[51] ». Cette fois, il ne subsiste aucun doute sur la façon dont la règle sera notifiée aux membres de la communauté : c'est bien d'une lecture communautaire du texte qu'il s'agit, dans une réunion qui rassemble tous les frères. *Recitare,* qui signifie précisément « lire à haute voix un document dans une séance publique[52] », a déjà été employé en ce sens à propos de la lecture de la parole divine au réfectoire[53].

Est-ce aussi au réfectoire qu'on lit la règle ? En tout cas, Π indique ici la raison probable de la révision imposée au texte des Quatre Pères. Si on l'a mis au point avec tant de soin, c'est sans doute en vue de sa lecture publique. Trop fruste, la rédaction originelle passait mal dans les « oreilles des frères ». Une toilette du style, qui polirait le texte sans l'altérer, a semblé utile, voire nécessaire.

La même induction peut être faite à partir du second passage où Π parle de « lecture » et d'« audition ». Dans son appendice final, la nouvelle recension proclame bienheureux « celui qui lit ces choses fidèlement et celui qui les écoute complaisamment », pourvu que l'un et l'autre, « tant le lecteur que l'auditeur », s'efforce de mettre en pratique ce qui est écrit[54]. Ce retour à la triple consigne du troisième discours

---

51. *Ibid.* : *Custodienda igitur omnino sunt haec praecepta et per singulos dies omnibus fratribus simul audientibus recitanda.* Ce dernier mot se lit aussi dans μ.

52. Outre les nombreux exemples de Cicéron et d'autres recueillis par les dictionnaires classiques, voir ceux des Pères donnés par A. BLAISE, *Dictionnaire,* pour le sens particulier de « lire à l'Église ».

53. RIVP 2, 42 (comme dans μ, *recitatur* remplace *profertur*).

54. RIVP 6, 1-2 : *Beatus quidem qui haec fideliter legit et beatus qui*

— lire, écouter, observer — est d'autant plus significatif que Π n'ajoute presque rien d'autre à E. A peu près tout ce que le rédacteur trouve à dire de neuf, et ce qu'il a en tout cas le plus à cœur, tient dans cette recommandation concernant la lecture publique du texte. C'est donc là, apparemment, qu'il faut chercher le motif de son travail de révision. Π est une tentative pour rendre la parole des Quatre Pères acceptable, sinon agréable, à un auditoire communautaire plus exigeant que les « oreilles des frères » d'autrefois auxquels ils s'étaient adressés.

---

audit libenter. Sed nisi omnia siue qui legit siue qui audit quae scripta sunt studiose inpleuerit...

CHAPITRE II

LE LIEU ET LA DATE

Peut-on préciser cette destination en déterminant le milieu pour lequel notre recenseur a travaillé ?

Origine italienne du manuscrit   Dans la grande pauvreté d'informations et d'indices où nous sommes, notre premier soin doit être d'interroger l'unique manuscrit. S'il est vrai que *P* a été copié en Italie du Sud vers 600, nous avons là un *terminus ante quem* et au moins une suggestion concernant le lieu d'origine.

Certes, produire un texte et le reproduire ne sont pas la même chose, et le lieu où il a été copié n'apprend rien, en principe, sur celui où il a été rédigé. Cependant l'unicité du manuscrit contenant Π, en contraste avec la multitude de ceux qui renferment E, donne à penser que la recension postérieure est loin d'avoir eu la même diffusion que le texte originel. Ce caractère très limité, autant que nous sachions, du rayonnement de Π confère une certaine valeur à l'indication régionale fournie par le manuscrit. Si *P* a été copié en Italie méridionale, c'est peut-être bien parce que Π y a vu le jour et n'en est jamais sorti.

Rapports textuels avec deux manuscrits italiens de E
On peut voir une confirmation de cette hypothèse dans le fait que Π a des relations spéciales avec deux témoins de E, les manuscrits *M* et *V*, qui furent copiés en Campanie au XIᵉ siècle. Le texte μ, commun à ces deux manuscrits, s'accorde 42 fois avec Π contre tous les autres témoins de E, et on trouve en outre des points de contact particuliers entre chaque manuscrit et Π : 16 dans le cas de *M*[1], 2 dans celui de *V*. Qu'on explique ces faits par l'influence de Π sur le subarchétype μ[2], et peut-être ensuite de nouveau sur chacun de ses témoins[3], ou au contraire par l'existence très ancienne d'un texte μ à partir duquel Π aurait été élaboré[4], il reste en tout cas que l'Italie méridionale est la région vers laquelle ces proches parents de notre texte invitent à regarder. De nouveau, c'est de ce côté, et non ailleurs, que nous trouvons Π.

Un rédacteur différent de l'auteur de E
Avant de poursuivre dans cette direction en examinant les rapports de Π avec le Maître, Eugippe et Benoît, il importe de s'assurer que l'œuvre n'a pas été faite à Lérins. En effet, si la Règle des Quatre Pères, dans son premier état, est lérinienne, il se pourrait qu'elle ait été remaniée sur place.

Une telle hypothèse reste sans doute incontrôlable dans une large mesure, puisque tant de moines lériniens susceptibles d'avoir fait le travail nous restent inconnus. Du moins

---

1. Soit 9 avant RIVP 4, 14 (point à partir duquel *V* fait défaut) et 7 après. Les premiers sont évidemment les plus significatifs.

2. Ainsi J. Neufville, *art. cit.*, p. 61 (cf. p. 54 : le subarchétype μ est placé vers 900).

3. A moins que *M* et surtout *V* aient effacé une partie des leçons communes à μ et à Π.

4. Voir l'Introduction à RIVP, chapitre III, notes 22-28 (cf. ci-dessous, n. 17).

pouvons-nous et devons-nous comparer Π aux deux premiers documents lériniens que nous possédions, la Règle des Quatre Pères dans son premier état (E) et la Seconde Règle des Pères, pour voir si ses rapports avec chacun d'eux permettent d'envisager un auteur commun.

Comparé à E, tout d'abord, Π fait preuve d'une forte originalité dans son vocabulaire. On trouve dans Π 144 termes nouveaux contre 441 repris à E, soit près du quart (24 %) de ses 585 termes distincts[5]. Mais ce chiffre global est moins significatif que celui des mots-outils nouveaux employés par Π. On en trouve plus de quarante[6], auxquels s'ajoutent des termes aussi incolores et usuels que *fieri, idem, nemo*. Un tel renouvellement du vocabulaire courant paraît exclure l'éventualité d'un auteur commun. Π n'a pas été mis au point par l'auteur de E.

Différences avec la Seconde Règle   Quand on passe à la Seconde Règle, le contraste s'atténue légèrement, mais reste très marqué. Cet opuscule si court renferme une dizaine de mots-outils que Π , dans son texte propre, n'emploie jamais[7]. Inversement, parmi les 43 mots-outils propres à Π, seuls *ita, post, quidem, reliquum* et *unde* se retrouvent dans la Seconde Règle. Que celle-ci, en particulier, n'emploie pas une fois *enim* et *igitur*, qui reviennent chacun 5 fois dans Π, est une de ces différences frappantes qui semblent exclure l'unité d'auteur.

---

5. De son côté, E a 529 mots différents, dont Π reprend 27 %. Le fait que E compte 56 mots de moins que Π, pour un texte à peine moins long, suggère que son vocabulaire est moins varié, ce qui correspond à un trait relevé plus haut dans Π : le souci d'éviter les répétitions.

6. *Ac, adhuc, adtamen, atque, circiter, contra, enim, etiamsi, forsitan, forte, ibidem, id est, igitur, ita, itaque, item, multum, nimis, omnimodo, omnino, post, prae, praecipue, praeterea, in primis, principio* (?), *prius, quapropter, quasi, quemadmodum, quidem, quo, quod, quomodo, reliquum, tam, tamquam, -ue, uel* (adv.), *uerum, uerumtamen, unde*.

7. *Ante (omnia), ceterum, de cetero, demum, prorsus, quando, secundum, sic, statim, tamdiu... quamdiu, tamen*.

L'usage d'*omnino, quoniam* et *debere* donne lieu à des remarques analogues[8]. Si la Seconde Règle et Π s'accordent à lier
leurs phrases plus que ne le faisait E, ce trait commun indique
seulement une certaine communauté de goût, une discipline
littéraire plus exigeante, de part et d'autre, que celle des
Quatre Pères. Quant au fait que la Seconde Règle et Π ont en
commun une trentaine de mots qui manquaient dans E[9], soit
près du quart de leur vocabulaire propre[10], il dénote tout au
plus une vague affinité entre les deux œuvres[11]. En définitive,
il ne paraît pas douteux que Π et la Seconde Règle sont dus à
des plumes différentes.

« Praepositus » : Il est cependant quelques
archaïsme délibéré ? traits communs à Π et à la
Seconde Règle qui méritent une
attention particulière. D'abord l'emploi habituel de *praepositus* pour désigner le supérieur. En étudiant la Seconde
Règle, nous avons vu que ce langage est encore plausible à
Lérins en 427 ou 428, mais s'expliquerait de moins en moins
à mesure qu'on avance dans le vᵉ siècle. Ne doit-il pas en être
de même pour Π ?

Certes l'emploi de *praepositus* au lieu d'*abbas* fait penser
d'abord à une date très haute, à peu près contemporaine de
celle de la Seconde Règle. Mais l'indice ne serait valable que
si Π était un texte vivant, destiné à régir effectivement une
communauté. Or on peut douter que telle soit sa destination.
Le caractère presque exclusivement formel de ses corrections
suggère plutôt, on l'a vu, que l'œuvre des Quatre Pères est

---

8. Le nombre d'emplois de ces mots est respectivement dans Π de 3, 8
et 4, dans 2RP de 0, 1 et 0.

9. Notamment *deinde, docere, fieri, ita, nemo, post, praepositus,
quando, quicumque, quidem, reliquum, saepe, senior, tamen, unde.*

10. Π a 144 mots propres (absents de E), et 2RP 139.

11. De leur côté, E et 2RP ont 9 mots communs qui manquent dans Π,
notamment *ubi*, et R₁ (accord EΠ) et 2RP ont 55 mots communs.

tenue pour un dépôt sacré qu'on entend laisser à peu près intact, plutôt que pour une législation concrète qui devrait coller à la réalité. Lue publiquement à la communauté comme l'Écriture sainte, cette règle doit être « observée[12] », certes, mais plutôt à la manière dont l'Écriture elle-même est écoutée et mise en pratique[13], c'est-à-dire à la façon d'une norme supérieure, qui dirige de très haut sans s'imposer à la lettre dans tous ses détails.

Si la Règle des Quatre Pères est pour le rédacteur de Π et ses auditeurs une législation de ce genre, à la fois vénérable et quelque peu lointaine, l'emploi de *praepositus* pour désigner le supérieur peut s'expliquer même à une date où *abbas* est devenu le titre normal de celui-ci. Moins gauche que *is qui praeest*, le terme en retient le radical et l'image. Il s'entend mieux[14], tout en continuant à rendre un son archaïque auquel on est habitué et qu'on apprécie.

Contacts textuels de Π avec la Seconde Règle Deux autres points de contact de Π avec la Seconde Règle s'observent l'un au début et l'autre vers le milieu du texte. Au lieu de *Sedentibus (nobis in unum)*, Π commence par *Residentibus...*[15], qui est aussi le premier mot de la Seconde Règle. D'autre part, le murmure est condamné ici et là en termes voisins :

---

12. *Custodienda... omnino* (3, 31) ; *nisi omnia... studiose inpleuerit* (6, 2).

13. L'application d'Ap 1, 3 dans RIVP 6, 1-2 suggère cette assimilation de la Règle des Quatre Pères à l'Écriture.

14. A condition que *praepositus,* dans le milieu de Π, n'ait pas encore le sens de « second » que lui donne Benoît. Par ailleurs, le singulier de Π suffit à distinguer cet unique *praepositus* des deux chefs de dizaine dont parle le Maître (*praepositi* au pluriel).

15. Leçon qu'on retrouve dans μ. L'épithète *sanctus* apparaît aussi, appliquée aux Pères, dans les rubriques de Π comme dans 2RP 1, mais on la trouve déjà dans l'*Incipit* général de RIVP, commun à E et à Π.

RIVP 3, 11-12 (E) : quidquid *iniunctum fuerit* sine aliqua murmuratione suscipiatur... « Omnia quae facitis sine murmuratione facite » (Ph 2, 14).

RIVP 3, 11-12 (Π) : quidquid fuerit imperatum sine aliqua murmuratione *perficiatur...* « Omnia facite sine murmuratione et *haesitatione.* »

2 RP 26 : quidquid *iniunctum fuerit* sine murmuratione uel *haesitatione perficiant.*

Le libellé de la Seconde Règle tient à la fois de celui de E *(iniunctum fuerit)* et de celui de Π (*haesitatione perficiant*). Ce fait est susceptible de plusieurs explications[16], dont la plus plausible nous semble être que Π a subi l'influence de la Seconde Règle. Certes, il peut avoir pris *et haesitatione* directement au texte sacré et complété ainsi la citation de E, comme il le fait ailleurs[17]. Mais *perficiatur,* qui n'a de répondant en aucune version de Ph 2, 14, lui vient sans doute de la Seconde Règle, et celle-ci lui a probablement suggéré aussi *et (uel) haesitatione,* mots qu'elle aura elle-même ajoutés d'après la source scripturaire.

Quant au *Residentibus* initial, qui se lit dans μ comme dans Π, il peut s'agir d'une variante introduite dans le texte des Quatre Pères antérieurement à la recension Π, sous la même influence de la Seconde Règle. Celle-ci, ne l'oublions pas, suit les Quatre Pères dans le manuscrit E_1, autre témoin italien du texte long. Détaché du tronc que représente pour nous E_1, le rameau μΠ a sans doute conservé originellement la Seconde Règle après les Quatre Pères, et le texte de ceux-ci a pu être contaminé à plusieurs reprises par ce voisinage[18]. Il

---

16. L'une d'elles serait que la variante *perficiatur... et haesitatione* s'était introduite dans le texte de E dès avant 427, et que Π y a ajouté *fuerit imperatum.* Mais *perficiatur... et haesitatione* ne se lit pas dans μ, qui reproduit simplement le texte courant de E. Il faudrait donc renoncer à voir dans μ le rameau d'où est sorti Π.

17. Cf. chap. ɪ, n. 17. Ici même, Π supprime *quae facitis,* conformément à Ph 2, 14.

18. Dans RIVP 2, 40, une interpolation suggérée par 2RP 15 se rencontre dans μ, non dans Π. Elle doit être postérieure à Π.

se pourrait que le changement de *is qui praeest* en *praepositus* dans Π résulte lui-même, au moins pour une part, de la même influence.

Rapports avec le Maître   Si ces inductions sont valables, la Seconde Règle fournit un élément pour dater Π. Puisque celui-ci semble dépendre d'elle, il ne peut avoir été rédigé avant 427. Le *terminus post quem* ainsi obtenu peut-il être abaissé ? Pour en apprendre davantage, il faut maintenant interroger d'autres témoins : les règles italiennes du VIe siècle.

La première de celles-ci est la Règle du Maître. Sa conjonction avec Π dans l'unique manuscrit que nous possédions en fait un terme de comparaison particulièrement important. Avant tout il faut affirmer que les deux œuvres n'ont pas le même auteur, comme il appert du fait qu'une quinzaine de mots-outils de Π font défaut chez le Maître[19]. Ensuite on constate des ressemblances assez nettes entre plusieurs ajouts de Π et des passages du début de la *RM*[20], comme si le réviseur des Quatre Pères connaissait celle-ci et s'en inspirait. Dans un de ces cas, il est vraisemblable que la même main a retouché les deux œuvres en vue de les relier l'une à l'autre[21]. Il semble donc que la recension Π, au moins sous sa forme définitive, soit postérieure à la *RM*, dépendante de celle-ci et destinée à lui servir d'introduction.

Cette destination n'implique pas, toutefois, qu'on ait voulu présenter les deux œuvres comme n'en faisant qu'une. Au

---

19. *Adtamen, circiter, forsitan, igitur, in primis, omnimodo, praecipue, principio* (?), *quo, reliquum, -ue, uerum, uerumtamen.* De plus, c'est seulement dans des citations que le Maître emploie *ibidem, omnino* et *quemadmodum.*

20. Aux parallèles indiqués au chap. I, n. 8-10 (Π 5, 13.16 et *RM* 2, 12-13.19 ; Π 6, 1-4 et *RM* Pr 1, etc.), on peut ajouter que *qui nuper conuertuntur* (Π 2, 16 ; cf. E : *qui de saeculo conuertuntur*) correspond à *RM* 1, 11 : *qui nuper conuersi.*

21. Voir ci-dessus, chap. I, n. 9.

contraire, l'ajout terminal de Π (RIVP 6, 1-4) est une conclusion supplémentaire qui tend à refermer la Règle des Quatre Pères sur elle-même et à en faire un tout achevé. Tout en reliant l'œuvre des Pères à celle du Maître par certaines similitudes verbales, cet ajout l'en disjoint nettement par son caractère d'épilogue et par sa doxologie finale. Un tel point d'orgue compense dans une large mesure l'absence de titre au début de la Règle du Maître, dont les *Capitula* suivent immédiatement dans *P*. Quand le lecteur commence à lire ceux-ci, il est suffisamment averti qu'il aborde un ouvrage différent.

La distinction des deux œuvres est encore marquée par le fait que les rubriques de la *RM* présentent ses chapitres comme des « réponses du Seigneur par le Maître » (*per Magistrum*), non « par Macaire », comme il eût été facile de l'écrire si on avait voulu l'annexer au quatrième discours des Pères. Il est vrai que l'*Explicit regula sanctorum Patrum* qui se lit dans *P* à la fin de la Règle du Maître tend à affirmer l'union de celle-ci avec l'œuvre des Quatre Pères. Mais l'absence des noms de Sérapion et de ses collègues, qui se lisaient dans l'*Incipit,* estompe cette affirmation. Tout ce que le lecteur est invité à conclure est que le « Maître », dont la législation s'achève, se range parmi les « saints Pères », tout comme les grands moines égyptiens qui ont légiféré au début du *codex,* mais sans pour autant s'identifier à l'un d'entre eux. Si sa règle et la leur sont réunies sous le nom de *regula* (au singulier !) *sanctorum Patrum*, elles n'en demeurent pas moins séparées par un ensemble de traits distinctifs que le compilateur a non seulement conservés, mais même accentués.

Destinée à précéder la *RM* sans se confondre avec elle, la recension Π semble donc liée intrinsèquement, de par l'intention même de son rédacteur, au texte qui la suit dans *P*. En d'autres termes, notre unique manuscrit reflète probablement la présentation originelle de Π. On peut même se demander s'il n'est pas lui-même le *codex* originel où Π a été édité pour la première fois. En ce cas, Π pourrait être daté, comme le manuscrit, de 600 environ. Mais on ne doit rien avancer à ce sujet avant d'avoir examiné les deux autres témoins italiens que sont Eugippe et Benoît. Cette première confrontation avec le Maître nous aura donné au moins un résultat important et certain : Π doit avoir vu le jour après la *RM*, c'est-à-dire au plus tôt vers 530.

Rapports avec Eugippe   Cette date limite, la Règle d'Eugippe nous invite à l'abaisser encore un peu. Écrivant précisément à ce moment, Eugippe ne paraît pas connaître Π. S'il cite une fois les Quatre Pères, c'est dans le texte courant de E[22]. Celui-ci, et non Π, est donc en circulation près de Naples à la fin du premier tiers du siècle.

Il est vrai que Π pourrait déjà exister sans avoir encore supplanté E, s'il l'a jamais fait. Puisque cette recension était destinée à préfacer l'œuvre du Maître, on ne peut s'attendre à la trouver employée pour elle-même, indépendamment de la *RM*. Mais justement le morceau des Quatre Pères cité par Eugippe est précédé d'un titre de chapitre pris au Maître (*RM* 16, T : *De cellario, qualis debeat esse*) et suivi de textes tirés du même chapitre du Maître[23]. Comme le manuscrit *P*, Eugippe associe donc les règles des Quatre Pères et du Maître. Ce fait accroît l'intérêt de son témoignage, en montrant à la fois que l'idée de joindre les deux œuvres était déjà dans l'air et que néanmoins c'était E, et non Π, qui s'offrait encore pour cet amalgame.

Il ne faudrait d'ailleurs pas exagérer la portée de celui-ci. Ce n'est pas, comme on l'a parfois supposé[24], un phénomène unique chez Eugippe. Aussitôt après, l'abbé de Naples associe pareillement la Règle de Basile et celle du Maître[25],

---

22. EUGIPPE, *Reg.* 2, 1-8 = RIVP 3, 24-31. A la fin (3, 31), Eugippe écrit *auribus* comme μ.

23. EUGIPPE, *Reg.* 2, 9-25 = *RM* 16, 11-14 et 25-37.

24. Voir nos « Scholies sur la Règle du Maître », dans *RAM* 44 (1968), p. 140-142.

25. EUGIPPE, *Reg.* 3, T-8 et 9-16 = BASILE, *Reg.* 103.104.106 et *RM* 17, 1-8.

ce qui ne l'empêche pas de citer ensuite les deux œuvres séparément. Pas plus que la Règle de Basile, celle des Quatre Pères n'est considérée par Eugippe comme inséparable de la *RM*, encore que l'unique citation qu'il en fait puisse donner cette impression. Rien même ne permet d'affirmer qu'il ait eu sous la main un *codex* où la Règle des Quatre Pères et la *RM* se succédaient comme dans *P*. Mais son exemple prouve qu'il paraissait alors naturel de placer à la suite de textes anciens et exotiques — en fait ou en apparence — comme ceux des Quatre Pères et de Basile, des morceaux d'un compatriote de fraîche date comme le Maître. La genèse de Π et du manuscrit *P* s'en trouve éclairée.

Quant à la datation et à la localisation de Π, on peut donc retenir du témoignage d'Eugippe que cette recension n'existait probablement pas encore vers 530-535, mais qu'elle a pu voir le jour aussitôt après dans la même région. C'est à Benoît qu'il faut maintenant demander les ultimes précisions.

Rapports   En ce qui concerne les rap-
avec Benoît   ports de Π avec Benoît, le
                        passage le plus caractéristique
est ce même directoire du cellérier que nous venons de voir utilisé par Eugippe. Comme celui-ci, Benoît paraît unir dans son esprit, à ce propos, les consignes du Maître et celles de Paphnuce[26]. Mais alors qu'Eugippe reproduit le texte E des Quatre Pères, Benoît fait nettement écho au texte Π[27] :

---

26. Voir F. MASAI, « Le chap. XXXI de S. Benoît et sa source, la 2ᵉ édition de la *Regula Magistri* », dans *Studi e materiali di storia delle religioni* 38 (1967), p. 350-395. A la page 360, la colonne de gauche (*RM* 16) est à compléter : en face de *RB* 31, 4-5, ajouter *RM* 16, 32-33 ; en face de *RB* 31, 9, ajouter *RM* 16, 33.35. Joints au parallèle relevé par F. Masai lui-même (à *RB* 31, 1 correspond *RM* 16, 62-63), ces échos montrent que Benoît, dès ce début de son chapitre où il se souvient de RIVP, a aussi en tête *RM* 16. Les deux textes-sources ne sont donc pas utilisés par lui successivement, à la façon dont ils se succèdent chez Eugippe, mais conjointement.

RIVP 3, 26-28 (E)	RIVP 3, 26-28 (Π)	RB 31, 8-10
[26]Studere debet qui huic officio deputatur ut audiat : [27]*Qui bene ministrauerit bonum gradum sibi adquirit.*	[26]*Meminerit* enim qui huic officio deputatur ut *illud* dictum *apostolicum* consequi mereatur : [27]*Qui bene ministrauerit gradum sibi bonum adquirit.*	[8]*Memor* semper *illud apostolicum* quia *qui bene ministrauerit gradum bonum sibi adquirit...*
[28]Nosse etiam debent fratres quia quidquid in *monasterio* tractatur siue in *uasis* siue in ferramentis uel cetera *omnia* esse sanctificata.	[28]Nosse etiam fratres oportet quoniam quidquid tractauerint in *monasterio* in omnibus utensilibus, tam *uasis* quam etiam ferramentis siue cetera *omnia* esse sanctificata.	[10]*Omnia uasa monasterii* cunctamque substantiam ac si altaris uasa sacrata conspiciat.

Il est d'ailleurs possible que le texte E de ce même passage soit présent à l'esprit de Benoît quand il conclut son second directoire abbatial[28]. En tout cas, d'autres lieux de la Règle bénédictine font penser à une influence de E plutôt que de Π sur Benoît[29]. Celui-ci connaîtrait donc déjà la rédaction Π[30], sans avoir oublié pour autant le texte originel des Quatre Pères.

---

27. Cf. nos « Scholies », p. 142-146. Outre *memor... illud apostolicum,* noter la place de *gradum* avant *bonum* dans *RB* comme dans Π, à la différence de E. La dépendance de Benoît par rapport à RIVP (Π) est confirmée par le singulier qui remplace chez lui le pluriel originel de 1 Tm 3, 13, ainsi que par le fait que *illud apostolicum* ne se rencontre pas ailleurs dans la *RB*. Dans Π, l'expression se lisait déjà plus haut (3, 12 : *Meminisse debent... dictum illud apostolicum*).

28. *RB* 64, 21 : *ut dum bene ministrauerit audiat a Domino...*

29. Le principal est *RB* 58, 3-4 (cf. RIVP 2, 27). Cf. « Scholies », p. 145, n. 101.

30. Outre *RB* 31, 8-10, cf. *RB* 26, 1 (*se iungere aut loqui cum eo*), qui rappelle RIVP 5, 3 selon Π (*nec iungere se ei nec loqui cum illo*) plutôt que selon E (*ut nullus cum eo iungatur*).

**Conclusion :
rédaction de Π
en Italie vers
535-540**

A la lumière de ces faits, Π
semble avoir vu le jour avant la
Règle bénédictine[31]. Or nous
venons de voir que Π est apparu
après la Règle d'Eugippe, qui
date de 530-535 environ. En combinant ces deux données, on
peut conjecturer que Π a été rédigé entre 535 et 540.

Quant à son lieu de naissance, il faut certainement le
chercher dans la région du Maître, d'Eugippe et de Benoît,
c'est-à-dire en Italie. Le court laps de temps qui sépare la
rédaction de la *RM* de celle de Π ne permet guère de placer
entre les deux faits un voyage de la première hors de son
pays natal. De plus, c'est à celui-ci que ramène la ressemblance de Π avec la Règle d'Eugippe, ainsi que son utilisation, si peu de temps après sa naissance, par la Règle de
Benoît. Et c'est l'Italie encore que désigne la forme longue du
texte des Quatre Pères sous-jacente à Π : ce texte long de E
ne nous est conservé que par deux manuscrits, E_1 et *M*, qui
sont italiens l'un et l'autre.

**Recension Π
et manuscrit *P***

Si notre datation est exacte,
nous pouvons maintenant
répondre à la question posée
plus haut : le manuscrit *P* est-il l'original de Π ? La date de
600 environ qu'on attribue à *P* établit un écart d'un demi-
siècle au moins entre la rédaction du texte et la confection du
manuscrit. Celui-ci n'est donc pas l'original de Π, mais une
copie.

On en a une confirmation dans le fait que l'autre témoin
complet de la *RM*, le *Codex regularum* de Benoît d'Aniane

---

31. L'hypothèse d'une dépendance de Π par rapport à *RB* paraît peu
vraisemblable, étant donné que Π suit E pas à pas en corrigeant seulement
sa forme avec minutie, travail à la fois trop modeste et trop absorbant
pour que le rédacteur puisse songer à d'autres modèles. Seule, semble-t-il,
la *RM* est présente à son esprit, son propos étant précisément de l'associer
à la RIVP.

(A), qui ne dépend pas de P mais d'un ancêtre de celui-ci[32], paraît bien avoir eu pour modèle un manuscrit où Π précédait la RM comme dans P[33]. Ainsi, au témoignage de A, le texte Π et son union à la RM remontent à un archétype antérieur à P.

Au reste, si l'on en juge par l'intervalle assez court — une soixantaine d'années — qui sépare Π de P, et par la proximité des lieux où ils sont apparus, les copies intermédiaires n'ont pas dû être nombreuses. L'une d'elles — ou peut-être l'original lui-même — est l'ancêtre commun de P et de A.

Signification de Π : Pour finir, prenons une vue
l'érémitisme admis ? d'ensemble de la recension Π en
la situant dans son milieu d'ori-
gine. Pour servir de propylées à la Règle du Maître, un compilateur italien, vers le début du second tiers du VIᵉ siècle, a fait choix de la petite Règle des Quatre Pères. Prenant cette œuvre provençale dans la forme longue sous laquelle elle se présentait alors en Italie, il a jugé utile, en vue de la lecture publique, d'en polir la langue, sans presque toucher au fond et en respectant, dans le vocabulaire lui-même, certains traits archaïques comme l'absence d'*abbas* pour désigner le supérieur.

Un des détails de fond qu'il a modifiés est la phrase du début sur le « désert désolé » et la « terreur des monstres » qui empêche d'y habiter seul[34]. Cette phrase de Sérapion, qui rappelait les appréhensions des premiers habitants de Lérins, il l'a supprimée. Ainsi a disparu une des principales marques de l'origine lérinienne du texte. Du même coup, celui-ci a perdu la motivation circonstancielle et concrète qui justifiait le rassemblement des frères en une seule maison et l'établissement d'un supérieur unique. Par la disparition de cette

---

32. Cf. *La Règle du Maître*, t. I, p. 126.

33. *A* a en effet l'*Explicit regula sanctorum Patrum,* à la fin de RM, ainsi que les mots *primo tibi qui legis deinde et tibi* dans RM Pr 1. Cf. ci-dessus, chap. I, n. 3-4 et 9 ; chap. II, n. 21.

34. RIVP 1, 2. Cf. ci-dessus, chap. I, n. 13.

racine existentielle, l'option cénobitique de base prend un aspect plus théorique et plus universel : si l'on décide de vivre ensemble, c'est simplement parce que le Saint Esprit, par la voix du psalmiste, le commande.

Quant aux motifs qui ont fait supprimer cette phrase importante, on ne peut que faire des conjectures. L'un d'eux est sans doute le désir de laisser la porte ouverte à la vie solitaire, que la déclaration de Sérapion paraissait exclure. A Lérins même, nous l'avons vu, la Seconde Règle et le *De laude eremi* d'Eucher attestent que des « cellules » d'ermites s'étaient ajoutées au coenobium dès 427. En Italie, sous l'inspiration de Cassien, le Maître avait expressément admis la légitimité de la vie solitaire, voire la supériorité en théorie des anachorètes sur les cénobites — appréciation qu'Eugippe et Benoît, malgré certaines réticences du premier, allaient reproduire[35]. Il n'en fallait pas davantage pour rendre inopportun le veto dont Sérapion avait frappé « l'habitat isolé ».

Un instructeur pour les postulants ?   Un autre changement opéré par Π est que le supérieur ne paraît plus chargé d'instruire les postulants[36]. Ce détail est des plus intéressants, car il confirme la datation que nous venons de proposer. Chez le Maître comme dans la Règle des Quatre Pères primitive, c'est encore le supérieur — *abbas* en l'occurrence — qui assure personnellement toute l'instruction des nouvelles recrues[37]. Chez Benoît, au contraire, l'abbé n'est plus mentionné avant la cérémonie de profession[38], et un « ancien apte à gagner les âmes » prend sa place auprès des nouveaux venus[39].

---

35. *RM* 1, 3-5 = EUGIPPE, *Reg.* 27, 3-5 = *RB* 1, 3-5. Sur les réserves d'Eugippe, voir *La Règle de saint Benoît*, t. VII, p. 87.

36. Voir RIVP 2, 21.28.32 : les mentions du supérieur manquent dans Π.

37. *RM* 87, 2-5, etc. ; 88, 1 ; 89, 2, etc. ; 90, 2-5, etc. (cf. 91, 5-7, etc.).

38. *RB* 58, 19.

39. *RB* 58, 6.

Sans mentionner ce maître des novices — son allégeance au texte des Quatre Pères est trop stricte pour le lui permettre —, Π n'en montre pas moins que le temps où l'abbé s'occupait des postulants est révolu. Il se range, à cet égard, aux côtés de Benoît, parmi les témoins d'une pratique postérieure à celle du Maître.

Le nom du « second »   Sans apporter une confirmation aussi nette, le changement de terminologie concernant le « second[40] » peut être regardé comme un indice convergent. Changer *secundum* en *qui post eum est in ordine,* c'est à la fois éviter un titre honorifique que le Maître prohibe expressément[41], et adopter une terminologie voisine de celle qu'on trouve en 530 et 535 dans la législation de Justinien[42].

Sans doute le rédacteur de Π pense-t-il à un ordre d'ancienneté que le Maître rejetait tout comme le titre de « second », mais sa correction rend l'opposition moins flagrante, d'autant que le Maître admettait un certain ordre de communauté, en le faisant seulement varier chaque jour[43]. Ce *qui post eum est in ordine* s'explique donc bien, si Π a été mis au point juste après la *RM* et avec le souci de ne pas la contredire brutalement.

---

40. RIVP 4, 17.

41. *RM* 92, 46 (*secundus*) ; cf. 92, 38 (*secundo in gradu*). D'ordinaire, le Maître parle de *secundarius* (*RM* 92, 37 et 54, etc.). Sous l'un et l'autre nom, il interdit d'établir un « second ».

42. Justinien, *Cod.* I, 3, 47 : *primum post defunctum et qui post illum est* ; *Nou.* 5, 9 : *qui post primum est... qui post illum secundus est.* Pour ce dernier passage, l'*Epitomé* donne *is qui post primum est... qui illum sequitur secundus.*

43. *RM* 22, 1-14 ; 92, 33-37.

**La Règle du Maître
et la Seconde Règle
comme compléments
de la Règle
des Quatre Pères**

Pour finir, la conjonction de Π avec l'œuvre du Maître doit être rapprochée de celle du texte E avec la Seconde Règle des Pères. C'est en effet juste avant la Seconde Règle que le texte primitif des Quatre Pères se présente dans le manuscrit E_1, que son âge, son origine italienne et son texte long rendent si proche de Π. Ainsi la *RM* joue dans Π un rôle analogue à celui de la Seconde Règle dans E_1 : l'un et l'autre ouvrage vient s'adjoindre à la Règle des Quatre Pères et la compléter.

Malgré l'énorme disproportion — la *RM* est quelque soixante fois plus longue que la Seconde Règle —, on peut donc dire que Π a remplacé un complément par l'autre[44]. Mais alors que la Seconde Règle était de même souche lérinienne que l'œuvre complétée et seulement un peu plus récente, la *RM* en est séparée par une grande distance géographique et chronologique. Un tel écart met en relief l'hommage rendu par le compilateur italien à cette législation ancienne et lointaine des Pères de Lérins, dont l'origine provençale lui était peut-être entièrement dissimulée par ses dehors égyptiens.

---

44. Il est fort possible que le rédacteur de Π ait trouvé 2RP à la suite de RIVP dans son modèle (cf. E_1). Benoît a certainement lu 2RP (cf. *RB* 43, 1-3) aussi bien que RIVP. Si Π n'a pas 2RP, c'est peut-être à la fois parce que cette règle ne jouissait pas du patronage prestigieux des Pères égyptiens, et que le rédacteur entendait mettre à sa place la *RM*.

CHAPITRE III

Établissement du texte et présentation

La recension Π ne se lisant que dans un manuscrit, celui-ci doit évidemment être suivi d'aussi près que possible[1]. Comme J. Neufville, nous signalons dans l'apparat toute divergence de notre texte par rapport à ce témoin unique. En outre, nous y relevons les quelques corrections de notre prédécesseur que nous abandonnons pour revenir au manuscrit[2].

Afin de mettre en évidence tout ce que Π prend aux Quatre Pères, nous imprimons ces emprunts en italiques. On notera que ce caractère signale les accords de Π non seulement avec le texte critique des Pères que nous avons établi ci-dessus, mais encore avec toute variante signalée dans l'apparat de la RIVP. Nous considérons donc à présent comme texte des Quatre Pères les nombreuses leçons de μ qui se retrouvent dans Π[3]. De la sorte, Π paraît plus proche des Pères, moins

---

1. Rappelons que le ms. *Parisinus lat. 12205* est très exactement reproduit par l'édition diplomatique de H. Vanderhoven (citée ci-dessus, chap. I, n. 1). J. Neufville, *art. cit.*, p. 56, n. 2, n'y relève que deux légères erreurs.

2. Au contraire, en 5, 15, nous corrigeons le *requiritur* du ms. et de l'éditeur en *requiretur*, par analogie avec *agnoscit/-cet* (3, 30). La faute inverse (*e* pour *i*) se rencontre en 2, 14 (*dicetur*) et 6, 1 (*leget*).

3. Voir Introduction à RIVP, chap. III, notes 22-25. Ici, notre présentation typographique procède évidemment d'un parti pris pratique qu'il est impossible de justifier spéculativement dans tous les cas. On ne saurait en effet affirmer que toute leçon commune à μ et à π se lisait dans le modèle de *P*.

original que ne le donnait à penser l'édition synoptique de Neufville, d'autant que nous ne tenons pas compte des différences d'orthographe[4].

La différence des caractères permet donc de repérer au premier coup d'œil ce que π emprunte à son modèle et ce qu'il apporte de lui-même. En revanche, rien ne signale ses nombreuses inversions de mots. De leur côté, ses omissions n'apparaissent que dans les rares cas où un verset des Pères est entièrement omis, ce qui entraîne une discontinuité dans la numérotation des versets. Quant aux divers changements non signalés typographiquement, nous nous efforçons d'en relever les principaux dans nos notes[5].

L'italique étant affectée aux rapprochements entre π et les Quatre Pères, nous indiquons les citations scripturaires par des guillemets. L'apparat ne note pas les abréviations du manuscrit développées dans le texte[6]. La seule de celles-ci qui prête à discussion est le ℟ des rubriques initiale et finale des trois derniers discours. Avec Neufville, nous avons opté pour le substantif *responsum*, analogue au verbe *respondit* qu'on trouve plus loin, parfois signifié par la même abréviation, dans les rubriques de chapitres du Maître.

---

4. Abstraction faite de celles-ci, nous imprimons en italiques le radical des mots auxquels π donne seulement une désinence différente, mais pas les mots différents qu'il tire de la même racine.

5. Celles-ci, jusqu'en 2, 18, s'efforcent d'entraîner le lecteur à une comparaison intégrale de π et de son modèle. Ce rodage achevé, nous cessons d'entrer dans tous les détails pour noter seulement quelques faits particulièrement significatifs ou moins apparents.

6. Ainsi FF (*fratres* en 1, 8 et 4, 9 ; *fratribus* en 4, 13).

INCIPIT REGVLA SANCTORVM PATRVM SERAPIONIS, MACHARI, PAVNVTHI ET ALII MACHARI

Pr ¹*Residentibus nobis in unum,* ²*consilium saluberrimum conperti Dominum* Deum *nostrum rogauimus ut nobis tribueret Spiritum Sanctum,* ³*qui nos instrueret qualiter fratrum regulam* in hac *uita ordinare*mus.

1 *Serapion dixit :* ¹*Quoniam « Domini misericordia plena est terra » et multorum agmina ad* beatae *uitae fastigium tendunt,* ³*optimum uidetur Spiritui Sancto praeceptis oboedire,* ⁴*nec nostra propria uerba pos*sumus sola firmare, *nisi firmitas scripturarum nostrum ordinem firmet.* ⁵*Dicit* enim Spiritus Sanctus : *« Ecce quam bonum et quam iucundum habitare fratres in unum » ;* ⁶*et iterum : « Qui habitare facit unianimes in domo. »* ⁷*Firmata* autem *nunc regula pietatis, Spiritus Sancti ostensione* monstrata, *firmam iam* institutionem *prosequamur.*

⁸*Volumus ergo* omnes *fratres unianimes in domo iucundita*ti*s habitare ;* ⁹*sed qualiter unianimitas ipsa iucundit*a*tis recto ordine teneatur Deo iuuante* monstrandum est.

1, 1 fastidium *P* ‖ 4 propria *P* ‖ 7 regulam *P* ‖ ostensionem *P* ‖ prosequatur *P* ‖ 9 iubante *P* ‖

Pr, 2 Cf. Ga 3, 5.

1, 1 Ps 32, 5 ‖ 3 Cf. Jos 24, 24 ‖ 5 Ps 132, 1 ‖ 6 Ps 67, 7 ‖ 8 Cf. Ps 67, 7 ; 132, 1 ‖

Titre. *Alii* pour *alterius.*

2-3. *Deum* ajouté. *In hac uita ordinaremus* pour *uitae ordinare possimus.*

1, 1-3. *Domini misericordia :* Introd., chap. I, n. 20. *Beatae* ajouté. Omission du v. 2 : Introd., chap. II, n. 34-35. Celle de *-que* après

RÈGLE DES SAINTS PÈRES
SÉRAPION, MACAIRE, PAPHNUCE
ET UN AUTRE MACAIRE

r [1]Comme nous tenions séance ensemble, [2]ayant pris connaissance d'un projet très salutaire, nous avons demandé au Seigneur notre Dieu de nous donner l'Esprit Saint [3]pour nous instruire de la façon dont nous ordonnerions la règle des frères en cette vie.

1 Sérapion a dit : [1]Puisque « du Seigneur la miséricorde remplit la terre » et qu'une troupe nombreuse est en marche vers la bienheureuse vie parfaite, [3]le mieux semble être d'obéir à ce que prescrit l'Esprit Saint, [4]car nous ne pouvons rendre fermes nos propres paroles toutes seules que si nos ordonnances s'appuient fermement sur la fermeté des Écritures. [5]De fait, l'Esprit Saint dit : « Voyez quel bonheur et quelle joie c'est d'habiter ensemble entre frères » ; [6]et encore : « Il fait habiter en une maison ceux qui n'ont qu'une âme ». [7]La règle de la piété est désormais fermement fondée par ces indications du Saint Esprit qui la font connaître. A présent, l'ouvrage est ferme. Continuons-le.

[8]Nous voulons donc que tous les frères habitent en une maison joyeuse dans l'unanimité. [9]Mais comment garder

---

optimum fait de la proposition suivante une apodose, et de la précédente une causale.

4. *Possumus sola firmare* pour *possunt firma perseuerare.*

5. *Dicit — Sanctus* pour *Quae dicit.*

7. *Autem* pour *iam. Ostensione monstrata* pour *per... ostensionem praeclaram. Institutionem* pour *nunc regulam* (μ).

8. *Omnes* ajouté. *Iucunditatis* pour *cum iucunditate.*

9. *Iucunditatis* pour *uel iucunditas. Monstrandum est* pour *mandamus.*

¹⁰*Vnum* igitur sanctae congregationi *praeesse uolumus,* ¹¹*nec ab eius imperio* dextrum *sinistrum*ue *quemquam* uel modicum *declinare,* ¹²*sed imperio Domini cum omni* subiectione atque *laetitia oboedire,* ¹³*dicente Apostolo ad Hebraeos :* « *Oboedite praepositis uestris* et obtemperate eis, *quia ipsi* peruigilant *pro uobis,* quasi pro animabus uestris rationem reddituri » ; ¹⁴*et Dominus* dicit : « *Nolo sacrificium, sed oboedientiam.* » ¹⁵*Considerandum* uero *est ab his qui* in *tali opere unianimes esse cupiunt* quoniam *per oboedientiam* « *Habraham Deo* » *placuit et* « *amicus* » eius « *appellatus est* ». ¹⁶*Per oboedientiam ipsi apostoli meruerunt testes esse in populis et tribubus.* ¹⁷*Ipse quoque Dominus de supern*is ad infernum *descendens* ita *ait :* « *Non ueni facere uoluntatem meam, sed eius qui me misit* Patris. » ¹⁸*His ergo tantis uirtutibus* testimoniisque *firmata oboedientia magno opere magnoque studio teneatur.*

EXPLICIT SANCTI SERAPIONIS. INCIPIT SANCTI MACHARII

2   *Macharius dixit* ¹*quoniam fratrum insignia uirtutum*

---

10 sancte congraegationi *P* ‖ 11 sinistrumne *P* ‖ 12 sed : sicut *add. n* ‖ adque *Pn* ‖ 13 uestis *P* ‖ 15 cipiunt *P* ‖ 16 oboedientia *P* ‖ tribus *P* ‖ 18 testimoniisquae *P*

2, 1 insigni *P* ‖

13 He 13, 17 ‖ 14 Cf. 1 S 15, 22 ; Mt 9, 13 (Os 6, 6) ‖ 15 Jc 2, 23 ; cf. He 11, 5.8 ‖ 16 Cf. Mt 4, 18-22 ; Ac 1, 8 ; Ap 11, 9 ‖ 17 Jn 6, 38 ; cf. Ep 4, 9 : Jn 8, 23.

---

10. E : *Volumus ergo unum praeesse super omnes.* On trouve *sanctae congregationi* chez CÉSAIRE, *Reg. uirg.* 47.59.65.73.

11. *Consilio uel* omis avant *imperio. Dextrum* et *-ue* ajoutés, ainsi que *uel modicum.*

12. *Sicut* omis après *sed. Subiectione atque* ajouté.

13. Citation complétée : Introd., chap. I, n. 17. *Peruigilant* (Vulgate) pour *uigilant.*

14. *Dicit* pour *dixit.*

cette unanimité joyeuse sans déviation ? Avec l'aide de Dieu, il nous faut le montrer.

[10]Nous voulons donc qu'un seul soit à la tête de la sainte communauté [11]et qu'on ne s'en aille ni à droite ni à gauche en s'écartant de ses ordres si peu que ce soit, [12]mais qu'on obéisse aux ordres du Seigneur avec une soumission et une allégresse sans réserve, [13]car l'Apôtre dit aux Hébreux : « Obéissez à vos chefs et obtempérez à ce qu'ils commandent, parce qu'ils ne cessent de veiller sur vous, comme ayant à rendre compte pour vos âmes » ; [14]et le Seigneur dit : « Ce n'est pas le sacrifice que je veux, mais l'obéissance ». [15]Ceux qui désirent n'être qu'une seule âme dans une telle conduite doivent considérer, en outre, que c'est par l'obéissance qu'Abraham plut à Dieu et reçut le nom d'ami de celui-ci. [16]C'est par l'obéissance que les Apôtres eux-mêmes obtinrent d'être ses témoins parmi les peuples et les tribus. [17]Le Seigneur lui-même, à son tour, quand il descendit du haut des cieux dans cette région basse, dit ceci : « Je ne suis pas venu faire ma volonté, mais celle de celui qui m'a envoyé, le Père ». [18]Fermement établie par des exemples de vertu et des textes scripturaires d'une telle portée, l'obéissance doit donc être pratiquée avec grand soin et grande diligence.

FIN DE SAINT SÉRAPION. DÉBUT DE SAINT MACAIRE

Macaire a dit : [1]Les vertus distinctives des frères qu'on vient de dire — habitation et obéissance — ont été approuvées.

---

15. *Vero* ajouté. *In* pour *se. Quoniam* pour *quia. Deo placuit* : inversion. *Eius* pour *Dei.*

16. *Esse,* primitivement à la fin, prend la place de *Domino.*

17-18. *Noster* omis après *Dominus. Supernis... infernum* pour *superna... inferiora. Ita* et *Patris* ajoutés. *Testimoniisque* ajouté (cf. 12).

2, T. Rubriques nouvelles (Introd., chap. I, n. 5-7).

1. *Supradicta* pour *superius conscripta.*

habitationis uel oboedientiae supradicta *placuerunt.* ²*Nunc qualiter spiritale exercitium ab his qui praesunt teneatur* monstrandum est. ³*Igitur talem se debet exhibere* praepositus sicut *Apostolus ait* dicens : « *Estote forma credentibus* », ⁴id *est* ut per *qualitatem misticae pietatis ac seueritatis fratrum animos de terrenis erig*at *ad caelestia,* ⁵eodem *Apostolo dicente : « Argue, obsecra, increpa in omni lenitate. »* ⁷*Discernendum* quoque *est a* seniore *qualiter circa singulos debeat pietatis affectum monstrare.* ⁸In primis igitur omni modo *qualitas* est *ten*enda, ⁹*Domino dicente : « Qua mensura mensi fueritis, remetietur uobis ».*

¹⁰*Adstantibus ergo ad orationem, null*i liceat *sine praecepto* praepositi *psalmi laudem emittere.* ¹¹*Ordo* uero *iste teneatur ut nullus praesumat ad standum uel psallendum* anteire *priorem,* ¹²*dicente Salomone : « Fili, noli* ambire *primatum ;* ¹³*neque adcubueris prior in conuiuio, ne ueniat melior te et dicatur tibi : ' Surge ', et confusionem patiaris »* ; ¹⁴*et iterum dic*itur : « *Noli altum sapere, sed time. »* ¹⁵*Quod si tardat is qui praeest,* ad *notitiam* eiusdem ferri debet *et secundum eius imperium obaudire.*

---

4 seueritatis : ueritatis *n* ‖ 5 dicentem arguae *P* ‖ laenitate *P* ‖ 8 qualitas : aequalitas *n* ‖ 11 iste : ste *P* ‖ 13 atcubueris *Pn* ‖ 14 dicetur *P* ‖ 15 is : his *P* ‖ eiusdem ferri : eius deferri *n* et *om. P* ‖ obaudiri *n* ‖

2, 3 1 Tm 4, 12 ; cf. 1 Th 1, 7 ‖ 4 Cf. Jn 3, 12 ; 2 M 15, 10 ‖ 5 2 Tm 4, 2 ‖ 9 Mt 7, 2 ‖ 12 Cf. Si 7, 4 ; 3 Jn 9 ‖ 13 Lc 14, 8-9 ; cf. Pr 25, 6-7 ‖ 14 Rm 11, 20 ‖

---

2. *Monstrandum est* (cf. 1, 9) pour *Deo iuuante ostendimus.*

3. E : *Debet is qui praeest talem se exhibere ut Apostolus ait : Estote...*

4. *Id* pour *hoc. Ut per qualitatem* pour *pro qualitate. Ac* pour *et* (cf. 2, 26). *De — caelestia* pour *ad caelestia de terrenis erigere.*

5. *Eodem* ajouté. *Apostolo dicente* : inversion. Omission du v. 6 (1 Co 4, 21 ; cf. *RM* Pr 25), qui manque aussi dans μ.

7. *Quoque* ajouté. *Seniore* pour *illo qui praeest* (cf. 2, 33).

[2]A présent, il faut montrer comment les supérieurs doivent exercer spirituellement leurs sujets. [3]Le préposé doit donc se comporter comme parle l'Apôtre quand il dit : « Soyez un modèle pour les croyants » ; [4]en d'autres termes, qu'en mêlant bonté et sévérité religieuses, il fasse monter les âmes des frères de la terre au ciel, [5]selon le mot du même Apôtre : « Reprends, supplie, réprimande avec une parfaite douceur ». [7]Il faut aussi que l'ancien discerne comment il devra montrer ses sentiments de bonté envers chacun. [8]Il lui faut donc, avant tout et de toute façon, garder la mesure, [9]selon le mot du Seigneur : « Avec la mesure dont vous aurez mesuré, on mesurera pour vous en retour ».

[10]Donc quand on se trouve à la prière, personne n'aura le droit de faire retentir la louange d'un psaume sans une injonction du préposé. [11]Mais on observera le principe d'ordre que voici : personne ne se permettra de prendre le pas sur un plus ancien, qu'il s'agisse de la place où l'on se tient ou de l'ordre dans lequel on psalmodie, [12]En effet, Salomon dit : « Mon fils, n'ambitionne pas d'être le premier [13]et ne t'installe pas à la première place dans un festin. Car s'il vient quelqu'un de plus distingué que toi, on te dira : ' Lève-toi ', et tu seras couvert de confusion ». [14]Et il est dit encore : « N'aie pas de grandes prétentions, mais sois circonspect ». [15]Si le supérieur fait attendre, on doit le faire savoir à celui-ci et obéir selon ce qu'il décide.

---

8. *In* — *modo* ajouté. *Est tenenda* pour *tenere debet.*

9. *Non* — *dicentis* pour *Domino dicente.*

10. *Nulli liceat* pour *nullus praesumat. Praepositi* pour *eius q. pr.*

11. *Vero* ajouté. E : *nullus priorem in monasterio ad standum uel psallendum praesumat praecedere.*

12. *Noli* et *primatum* intervertis. *Ambire* pour *concupiscere.*

14. *Dicitur* pour *dicit* : Rm 11, 20 n'est plus de « Salomon ».

15. *Ad* — *debet* pour *oporter primum in notitiam eius deferre.* A la fin, omission de *conuenit.* On obtient ainsi un *cursus uelox.*

¹⁶*Ostend*endum deinde est quae *examinatio erga eos qui* nuper *conuertuntur teneri debeat.* ¹⁷*Amputanda* in primis est *ab huiuscemodi* concupiscentia saecularium *diuiti*arum.

¹⁸*Quod si quis pauper uid*etur *conuerti, habet et ipse diuitias qu*ae *deb*eant *amput*ari, ¹⁹de *qu*ibus *Spiritus Sanctus* ait : « *Odit anima mea pauperem superbum.* » ²¹Itaque *debet* haec *regula* custodiri, *ut, si pauper* est, prius *exponat sarcinam superbiae,* ²²*et* ita *suscipiatur.* ²³*Ante omnia* uero *humilitate* informari *debet* et, *quod magnum est, suam uoluntatem* omnino *non faciat, sed ad omnia* quae ei fuerint imperata *paratus sit,* ²⁴*memor* scripturae sanctae dicentis : « *In tribulatione patientes.* » ²⁵Huiusmodi ergo uir, *cum* se *de saeculi huius* caligine eximere curauerit, *adpropinquans monasterio ebdomada continua pro foribus iaceat,* ²⁶et *nullus ei iungatur* ex *fratribus*, sed *semper dura* ac *laboriosa ei proponantur.* ²⁷*Si uero perseuerauerit, puls*anti *non negetur ingressus.* ²⁸Verumtamen *debet instru*i *qualiter regulam fratrum uel uitam* sequi *possit.*

²⁹*Si* uero *hab*et quis *saecul*i *multas diuitias, primum debet implere Domini uoluntatem* ³⁰*et illud* facere *quod diuiti*

---

17 amputandam *P* || 21 sarcina *P* || 24 scribturae *Pn* || sancte *P* || 25 caliginem *P* || continua : contituo *P* || 26 hac *P* || 29 uoluntate *P* || 30 illut *Pn* ||

19 Si 25, 3-4 || 23 Cf. 2 Tm 2, 21 || 24 Rm 12, 12 || 25 Cf. Ga 4, 1 : Col 1, 13 || 27 Cf. Lc 11, 8 ||

---

16. E : *Qualiter uero examinatio erga eos qui de saeculo conuertuntur teneri debeat ostendimus.* Cf. *RM* 1, 11 : *qui nuper conuersi.*

17. E : *Amputandae sunt primum ab huiusc. diuitiae saeculi.*

18. *Quis... uidetur conuerti* pour *aliquis... conuerti uideatur. Quae — amputari* pour *quas amputare debeat.* A partir d'ici, nous ne relevons plus qu'une partie des changements (cf. Introd., chap. III, n. 5).

19. *Per Salomonem* étant omis, la citation est attribuée immédiatement — et assez gauchement — à l'Esprit Saint. Omission du v. 20 (Ps 88, 11), qui manque aussi dans μ (cf. 2, 6).

¹⁶Il nous faut ensuite exposer à quelle épreuve doivent être mis ceux qui viennent de se convertir. ¹⁷A de telles personnes, il faut commencer par ôter le désir des richesses mondaines.

¹⁸Si c'est un pauvre qui se convertit, il a lui aussi des richesses à dépouiller, ¹⁹celles dont l'Esprit Saint dit : « Mon âme a horreur du pauvre orgueilleux ». ²¹Aussi doit-on observer cette règle : s'il est pauvre, qu'il commence par déposer son fardeau d'orgueil, ²²et ensuite on le recevra. ²³Mais avant tout, on doit le former à l'humilité, et — c'est là une grande chose — qu'il ne fasse absolument pas sa volonté, mais soit prêt à tout ce qu'on lui commandera, ²⁴se rappelant ce que dit l'Écriture sainte : « Patients dans la tribulation ». ²⁵Quand donc un homme de cette sorte désire s'affranchir des ténèbres de ce monde, qu'à son arrivée aux abords du monastère, il couche devant la porte pendant une semaine entière. ²⁶Aucun frère n'aura de rapport avec lui. On lui mettra sans cesse devant les yeux des choses dures et pénibles. ²⁷S'il persévère, on ne lui refusera pas l'entrée pour laquelle il frappe. ²⁸Cependant on doit lui apprendre comment il pourra suivre la règle et la vie des frères.

²⁹Mais si quelqu'un a une grande fortune dans le monde, il doit d'abord accomplir la volonté du Seigneur ³⁰et faire ce

---

21. *Itaque debet* pour *Debet ergo*. Ensuite, *is qui praeest* est omis et *custodiri* remplace *tenere* (cf. 2, 28).

23. *Debet* passe du début de la phrase à la fin. Après *est,* omission de *et Deo sacrificium acceptum est* (cf. 1, 14-15).

24. Au début, omission de *Quidquid acciderit.*

25. *Huiusmodi... uir* remplace *Is qui talis est,* expression semblable à *is qui praeest,* que Π corrige habituellement.

26-27. *Iungatur ex fratribus* pour *de fratribus iungatur. Sed* pour *nisi. Ac* pour *et* comme en 2, 4. *Pulsanti* pour *pulsans petenti.*

28. Le supérieur n'est plus mentionné (cf. 2, 21). *Regulam* et *uitam* sont intervertis.

29. A la protase, omission du deuxième membre (cf. 2, 23). A l'apodose, double inversion.

30. *Facere* répété (cf. Introd., chap. I, n. 39).

adulescenti praeceptum est facere, Domino *dicente* : ³¹*« Vade, uende omnia tua et da pauperibus et habebis thesaurum in caelo, et tolle crucem tuam et sequere me. »* ³²*Nihil* ergo *sibi* omnino debet *relinquere nisi crucem, quam teneat et sequatur* Christum. ³³*Fastigia uero crucis sunt* ut *primum* in *omni*bus *oboedientia* custodiatur, nihilque *sua uoluntate, sed* senioris imperio oboediatur. ³⁴*Quod si uoluerit* aliquid ex facultatibus suis inferre *monasterio, no*sse debet quemadmodum tam *ipse* quam *eius* debeat *oblatio suscip*i. ³⁵*Si* uero aliquos *de seruis habere uoluerit secum,* scire debet *non seruo*s de cetero *sed fratre*s sibi eos esse, *ut in omnibus perfectus* existat.

³⁶Docendum deinde quomodo *peregrini hospites suscipiantur.* ³⁷Quibus aduenientibus *nullus* alius *nisi cui* haec *cura iniuncta* est *occurrat* ad *d*andum *responsum.* ³⁸Verumtamen nec ipsi cum eis *liceat orare nec* osculum *paci*s *offerre, nisi* prius *a* praeposito *uideantur* ; ³⁹*oratio*nis *simul sequatur ordinem suum pacis officium.* ⁴⁰*Nec licebit* cuiquam *cum* peregrinis *sermocinare* hospitibus *nisi* praeposito uel *quos ipse uoluerit.* ⁴¹*Venientibus uero ad refectionem, non licebit peregrino cum fratribus edere nisi cum* praeposito, *ut possit aedificari.* ⁴²*Nulli* itaque *licebit*

---

38 obsculum *Pn* ‖ 40 liceuit *P* ‖

30 Cf. Mt 19, 20-22 ‖ 31 Mt 19, 21 ; cf. Mt 16, 24 ; Mc 10, 21 ‖ 35 Cf. Phm 16 : Mt 19, 21 ; 2 Tm 3, 17.

---

32. Nouvelle omission du supérieur (cf. 2, 21.28). *Christum* pour *Dominum.*

33. *Fastigia* et *crucis* sont intervertis. Omission de *quae... tenenda* et insertion de *custodiatur* (cf. 2, 21 et note). *Sua uoluntate* reste en suspens. *Senioris* rappelle 2, 7 (cf. 3, 18).

35. *Habere uoluerit secum* : mots intervertis. *Existat (cursus planus)* pour *inueniatur (cursus uelox).*

37. Nouvel adjectif verbal, selon le goût prononcé de Π (Introd., chap. I, n. 31-32).

que le jeune homme riche reçut l'ordre de faire, quand le Seigneur lui dit : [31]« Va, vends tout ce que tu as et donne-le aux pauvres, et tu auras un trésor dans le ciel. Puis prends ta croix et suis-moi ». [32]Il ne doit donc se laisser à lui-même absolument rien d'autre que la croix qu'il portera pour suivre le Christ. [33]Et voici quelle est la croix suprême : garder d'abord l'obéissance en tout et ne rien faire par sa propre volonté, mais obéir aux ordres de l'ancien. [34]S'il veut apporter au monastère une part de ses biens, il doit connaître les conditions auxquelles on devra le recevoir, lui et son offrande. [35]Si d'ailleurs il veut avoir quelques-uns de ses serviteurs avec lui, il doit savoir qu'ils ne seront plus désormais pour lui des serviteurs mais des frères, afin qu'il soit parfait sur toute la ligne.

[36]Il nous faut ensuite enseigner de quelle manière les étrangers recevront l'hospitalité. [37]A leur venue, nul ne les abordera ni ne leur répondra hormis celui qui en est chargé. [38]Cependant il ne pourra, lui non plus, prier avec eux et leur offrir le baiser de paix, avant que le préposé ne les ait vus. [39]Une fois la prière faite ensemble, la salutation du baiser de paix suivra à son tour. [40]Nul ne pourra parler avec les hôtes étrangers, sinon le préposé et ceux qu'il voudra. [41]S'ils arrivent pour le repas, l'étranger ne pourra partager la table des frères, mais seulement celle du préposé, qui saura l'édifier. [42]Aussi personne ne pourra-t-il parler, et l'on

---

38. *Ipsi* (l'hôtelier) pour *ei* (l'hôte ?).

39. *Orationis* (dittographie ?) *simul* pour *oratione simul peracta* : sens problématique. *Sequi* peut être suivi du datif, voire du génitif (cf. BLAISE, *Dict.*), mais que faire alors de *ordinem suum* ?

41. *Fratri* omis après *peregrino*, ce qui évite une répétition. *Edere* pour *manducare*, à l'inverse de ROr 37.

42. *Ex more* : d'occasionnelle, la lecture serait-elle devenue quotidienne ? *Recitatur* (μ) comme chez CASSIEN, *Inst.* 4, 17. A la fin, omission de *ut... de Deo conueniat*.

loqui nec cuiquam *sermo* alius *audi*etur, *nisi qui ex diuin*is *pagin*is ex more *recitatur et eius qui praeest uel qu*os *ipse* uoluerit *aliquid loqui.*

EXPLICIT RESPONSVM SANCTI MACHARII. INCIPIT RESPONSVM SANCTI PAVNVTHI

3 *Paunuthius dixit :* [1]*Magna et utilia dicta sunt ad anima*-rum *salutem omnia.* [2]*Adtamen nec hoc tacendum est, qualiter ieiuniorum ordo* seruetur. [3]*Nec aliud huic firmitati testimonium conuenit* quam illud : [4]*« Petrus autem et Iohannes ascendebant* ad *templum hora circiter nona.* » [5]*Debet ergo iste ordo teneri ut nona reficiatur* hora, *excepta dominica die.* [6]Qua etiam *die uac*ari debet *Deo* ; [7]*nulla operatio* eadem *die* repperiatur, *nisi tantum « hymnis, psalmis, canticis spiritalibus » dies* memorata *transigatur.*

[8]Instruendum praeterea est *qualiter fratres debeant operari.* [10]*A prima* enim *hora usque tertiam Deo uacetur.* [11]*A tertia uero usque ad nonam, quidquid fuerit* imperatum *sine murmuratione* perficiatur. [12]*Meminisse debent qu*i fideliter oboediunt *dictum* illud apostolicum : *« Omnia facite sine murmuratione* et haesitatione. » [13]*Illud* quoque *dictum* terribile recordemur : « Neque *murmur*aueritis *sicut quidam*

---

42 cuiusquam *n*

3, 5 ora *P* || 10 ora *P* || 12 hesitatione *P* || 13 terribilem *P* ||

3, 1 Cf. 1 P 1, 9 || 4 Ac 3, 1 || 7 Ep 5, 19 || 12 Ph 2, 14 || 13, 1 Co 10, 10 ||

3, 1. *Animarum* pour *animae* : Π aime le pluriel (2, 35.38.40.42).
2. *Sanetur* élimine *tenendus est* : cf. 2, 21.28.33 ; 5, 1 (*tenere* exclu).
3. *Quam* pour *nisi* : cf. 3, 5-6 et note.
4. *Ad* pour *in* : cf. 2, 15. *Orationis* omis : il ne s'agit que de jeûne.
5-6. Deux *nisi* omis, ce qui évite la répétition (cf. 3, 7).

n'entendra pas d'autre parole que celle qu'on lit selon la coutume dans les divines Écritures, et celle du préposé ou de ceux auxquels il voudra faire dire quelque chose.

FIN DE LA RÉPONSE DE SAINT MACAIRE. DÉBUT DE LA RÉPONSE DE SAINT PAPHNUCE

3   Paphnuce a dit : [1]Elles sont grandes et utiles au salut des âmes, toutes les propositions qu'on vient d'édicter. [2]Cependant il ne faudrait pas non plus passer sous silence comment il faut garder la règle des jeûnes. [3]A cet égard, il n'est pas d'autre texte approprié pour notre assurance que celui-ci : [4]« Pierre et Jean montaient au temple à la neuvième heure environ ». [5]Il faut donc observer cette règle qu'on mange à l'heure de none, sauf le dimanche. [6]Ce même jour, on doit aussi s'occuper de Dieu seul ; [7]qu'on ne voie aucun travail ce jour-là, mais que la journée en question se passe entièrement à des hymnes, psaumes, cantiques spirituels.

[8]En outre, il nous faut enseigner comment les frères doivent travailler. [10]Donc de la première heure à la troisième, on s'occupera de Dieu ; [11]de la troisième à la neuvième, tout ce qui sera ordonné, on l'exécutera sans murmure. [12]Ceux qui obéissent fidèlement doivent se souvenir de ce mot de l'Apôtre : « Faites tout sans murmure ni hésitation ». [13]Rappelons-nous aussi ce mot terrible : « Ne murmurez pas non plus comme certains d'entre eux, qui furent mis à mort

---

8. Omission du v. 9 (*Debet ergo iste ordo teneri*). Cf. 3, 2 et note.

10-11. *Ad* omis avant *tertiam*, et *aliqua* avant *murmuratione*. *Perficiatur* rappelle 2RP 26 (*perficiant*).

12. Cf. *Ordo mon.* 6 (*Fideliter oboediant*). Citation complétée comme dans 2RP 26 (*uel haesitatione*).

13. *Recordemur* : ce « nous » de prédicateur ne se trouve jamais dans E.

eorum, et perierunt ab exterminatore. » [14]*Debet etiam is qui praeest opus* quodcumque fiendum *uni* idoneo fratri curam committere, *ut ceteri eius praecepto* obtemperent.

[15]Ostendendum etiam est *qualiter infirmitas uel possibilitas* singulorum *sit cognoscenda.* [16]*Si quis* de *fratribus per ieiunia uel* operationem *manuum* — [17]sicut *Apostolus* docuit *dicens :* « *Operantes manibus nostris, ne quem uestrum graua-remus* » — [18]*si* quis *infirmitate fuerit* oppressus, *prouidendum est a* seniore quemadmodum *ipsa sustentetur infirmitas.* [19]Qui uero *firmus est corpore* omni modo laborare debet, *consi-derans Apostolum* quomodo « *suum corpus* subiecerit *seruituti* ». [20]Verumtamen illud, quod saepe est repetendum, praecipue *obserue*tur, *ut null*i liceat sine permissu praepositi aliquid *sua* facere *uoluntat*e.

[21]In *officiis* uero *mutuis,* quibus *se* officiis inuicem *praeue-niant,* ordo iste teneatur. [22]*Si* enim *fratrum multa est congre-gatio, debet* praepositus *ebdomadarum officia ordinare, quo sibi inuicem succedant.*

[23]*Cellarium* uero huic credi oportet, [24]*qui possit* principio *in omnibus gylae suggestionibus dominari,* [25]*qui timeat Iudae sententiam, qui fur fuit ab initio.* [26]Meminerit enim *qui huic*

---

14 his *P* ‖ 16 quis : quid *P* ‖ operatione *P* ‖ 19 firmus : primus *P* ‖ 21 officiis² : offi-cii *P* ‖ 22 congraegatio *P* ‖

17 1 Co 4, 12 ; 1 Th 2, 9 (2 Th 3, 8) ‖ 19 1 Co 9, 27 ‖ 21Cf. Rm 12, 10 ‖ 25 Cf. Mt 26, 24 ; Jn 12, 6 ; Jn 8, 44 ‖

---

14. Souci d'« idonéité » qui rappelle *RB* 53, 17, etc. *Curam,* superflu, crée une anacoluthe.

15. Disparition du supérieur (cf. 2, 21.28.32). Sur cette clausule et les suivantes, voir Introd., chap. I, n. 48. Passage analogue à Isidore, *Reg.* 5, 4.

17. *Docuit* (cf. 2RP 5.26) pour *praecepit* : effort d'exactitude.

18. *Quis* pour *is qui talis est* : voir 2, 25 et note. *Seniore* comme en 2, 7.33. *Quemadmodum* pour *qualiter,* changé ailleurs en *quae* (2, 16), *quibus* (3, 21), *quomodo* (2, 36 ; 3, 19).

par l'exterminateur ». ¹⁴De plus, le supérieur doit toujours confier à un frère capable l'ouvrage à faire, et ainsi tous les autres obtempéreront à son commandement.

¹⁵Il nous faut aussi montrer comment les faiblesses et les possibilités d'un chacun doivent être prises en considération. ¹⁶Si un frère, du fait des jeûnes et du travail manuel — ¹⁷selon l'enseignement de l'Apôtre qui dit : « Travaillant de nos mains, afin de n'être à charge à aucun d'entre vous » — ¹⁸si donc quelqu'un est écrasé par sa mauvaise santé, que l'ancien avise à la manière de soutenir cette mauvaise santé. ¹⁹Mais celui qui est physiquement bien portant doit travailler de toute manière, considérant de quelle façon l'Apôtre « imposait la servitude à son corps ». ²⁰Cependant on veillera par dessus tout à ce point que nous devons souvent répéter : personne ne pourra faire quoi que ce soit par sa volonté propre, sans permission du préposé.

²¹Dans les services mutuels, d'autre part, au sujet des services dont ils doivent se prévenir l'un l'autre, voici le règlement à observer. ²²Si, de fait, la communauté des frères est nombreuse, le préposé doit régler le service hebdomadaire de façon qu'ils s'y succèdent l'un à l'autre.

²³Le cellier, d'autre part, devra être confié à quelqu'un ²⁴qui puisse d'abord dominer entièrement les suggestions de l'appétit. ²⁵Qu'il craigne la damnation de Judas, qui fut un voleur dès le début. ²⁶En effet, celui qu'on désigne pour cette

---

19. *Debet* pour *oportet* comme en 2, 15, à l'inverse de 3, 23.28.

20. Insistance sur l'obéissance (cf. 1, 10-18 ; 2, 23.33 ; 3, 11-13). *Illud* pour *hoc* : 5, 11 et note. *Obseruetur* évite un second adjectif verbal (*obseruandum*). *Sua facere uoluntate* : *RM* 74, 4.

21-22. *Vero* et *enim* se succèdent comme en 3, 23-26. *Debet* est reproduit ici, puis évité quatre fois (3, 23.24.26.28). Omission de *ordinem et* avant *officia*.

26-27. Source de *RB* 31, 8 (cf. *RB* 64, 21) : voir Introd., chap. II, n. 27-28. *Illud dictum apostolicum* comme en 3, 12.

officio deputatur ut illud dictum apostolicum consequi mereatur : [27]*« Qui bene ministrauerit, gradum sibi bonum adquirit. »*

[28]*Nosse etiam fratres* oportet quoniam *quidquid tract*auerint *in monasterio in* omnibus utensilibus, tam *uasis* quam etiam *ferramentis* siue *cetera omnia esse sanctificata.* [29]Quae *si quis neglegenter tractauerit,* [30]particeps erit *ill*ius reg*is* Baltasar, *qui in uasis sanctificatis cum concubinis suis bibebat, et* agnoscet *qualem me*reatur *uindictam.*

[31]*Custodienda* igitur omnino *sunt* haec *praecepta et per singulos dies* omnibus *fratr*ibus simul audientibus *recitanda.*

EXPLICIT RESPONSVM SANCI PAVNVTHI. INCIPIT RESPONSVM SANCTI MACHARII

4 *Macharius dixit* [1]*quoniam Veritas protestatur* in eo *quod* dicit : « In ore duorum uel trium testium stabit omne uerbum. »*

[3]Verumtamen *nec* hoc *tacendum qualiter inter se* in *monasteria pacem firmam obtineant.* [4]*Non* ergo *licebit de alio monasterio sine uoluntate* praepositi *fratrem recipere,* [5]*et non solum* hoc, uerum etiam *nec uidere,* [6]*dicente Apostolo :* « Quia primam fidem inritam fecit. »* [7]*Quod si praecatus fuerit* praepositum *ut in alio monasterio ingrediatur, commendetur ab eo* eius monasterii praeposito, in quo *esse desiderat,* [8]*et* ita *suscipiatur,* [9]*ut quantos fratres* ibidem

30 uiuebat *P* ‖ agnoscit *P* ‖ uindicta *P*

4, 1 stauit omnem *P* ‖ 3 in *del. n* ‖ 7 ingraediatur *P* ‖ 9 tantos se nouerit *om. P. ex homoeot.* ‖

27 1 Tm 3, 13 ‖ 30 Cf. Dn 5, 1-30.

4, 1 2 Co 13, 1 ; cf. Dt 19, 15 ; Mt 18, 16 ‖ 6 1 Tm 5, 12 ‖

28. Cf. *RB* 31, 10. *Tam... quam* pour *siue... siue* comme en 2, 34.

30. *Mereatur* pour *meruit* : amélioration grammaticale (cf. 3, 19 : *subiecerit*).

tâche se souviendra qu'il doit obtenir de réaliser ce mot de l'Apôtre : [27]« Qui sert bien s'acquiert une bonne place ».

[28]Les frères doivent aussi savoir que tout ce qu'ils manient au monastère, toutes les choses dont ils se servent, tant vases qu'outils et le reste, ce sont autant d'objets sacrés. [29]Si quelqu'un les traite avec négligence, [30]il aura en partage le sort de ce roi Baltasar qui buvait avec ses concubines dans les vases sacrés, et il constatera quel châtiment il mérite.

[31]Ces prescriptions sont donc à observer absolument et à lire chaque jour devant tous les frères assemblés et attentifs.

FIN DE LA RÉPONSE DE SAINT PAPHNUCE. DÉBUT DE LA RÉPONSE DE SAINT MACAIRE

Macaire a dit : [1]La Vérité l'atteste par ces mots : « Par la bouche de deux ou trois témoins toute parole sera rendue valide ».

[3]Cependant il ne faut pas non plus passer sous silence comment on gardera entre soi dans les monastères une paix qui soit ferme. [4]On ne pourra donc pas recevoir un frère d'un autre monastère sans le consentement de son préposé — [5]et non seulement cela, mais en outre on ne pourra même le voir —, [6]puisque l'Apôtre dit : « Il a violé son engagement initial ». [7]S'il demande à son préposé d'entrer dans un autre monastère, il sera recommandé par lui au préposé du monastère où il désire être, [8]et on l'y recevra à cette condition [9]qu'il regardera tous les frères qu'il y trouve

---

31. Voir Introd., chap. I, notes 50-53.

4, 1. *In eo quod* pour *quae (dicit)* : changement inverse en 3, 3 (*illud* pour *in eo quod dicit*). Le v. 2 (*Firmanda ergo est regula pietatis*) est omis (cf. *M*).

6. Originellement composite, la citation est simplifiée.

8. *Ita* pour *sic* comme en 2, 22.

inuenerit, tantos se nouerit habere priores. [10]*Nec adten-dendum* quid *fu*erit, *sed probandum qualis esse coeperit.* [11]*Susceptus uero si* forte *aliquid ui*sus fuerit *habere, siue codic*em uel quodcumque aliud, *ultra eum possidere non lic*eat, [12]*ut possit esse perfectus,* sicut *alibi* esse *non potuit.* [13]*Residentibus uero fratribus, si fuerit aliqua de* sanctis *scripturis conlatio et* si forsitan is qui susceptus est habet scientiam scripturarum, *non ei liceat loqui* sine praecepto praepositi.

[14]Si quis autem *clericorum hosp*is aduenerit, [15]*cum omni reuerentia suscip*i debet tamquam *minist*er *altaris.* [16]Quo praesente *non licebit* alii *orationem conplere,* etiamsi *ostiarius sit,* quia *minister est templi.* [17]*Quod si aliquo casu lapsus est* aliquis clericorum *et* uerum esse *prob*atur, *non* illi *liceat* orationem *conplere,* sed praepositus siue qui post eum est in ordine uel quemcumque alium ex fratribus, quem ipse uoluerit, conpleat. [18]*Nulli* etiam *cleric*orum *permitt*endum *in monasterio habitare,* [19]*nisi* forte *quem lapsus peccati ad humilitatem deduxit et est uulneratus, ut in monasterio humi-litatis medicina sanetur.*

[20]*Haec uobis tenenda sufficiant, custodienda conueniant, et eritis inrepraehensibiles.*

---

13 scribturis *Pn* ‖ forsitam his *P* ‖ 16 oratione *P* ‖ 17 oratione *P*

12 Cf. Mt 19, 21 ; 2 Tm 3, 17 ‖ 19 Cf. Ps 88, 11 ‖ 20 Cf. Ph 2, 15 ; 1 Tm 5, 7.

---

10. *Est* omis après le premier adjectif verbal comme en 5, 1 (cf. 4, 18). *Fuerit* pour *fuit* : voir 3, 30 et note.

11. *Visus fuerit... liceat* : goût de Π pour le subjonctif (cf. note précé-dente). *Liceat* sera répété (4, 13). *Vel* pour *siue*[2] : cf. 3, 28 et note.

13. *Sanctis* ajouté avant *scripturis* (cf. 2, 24), comme devant les noms des Pères dans les titres. *Sine* pour *nisi* : cf. 2, 26 ; 3, 3.5-6.

14-16. Passage du pluriel au singulier, conformément à la suite.

comme ses anciens. [10]Il ne faut pas prendre en considération ce qu'il a été, mais examiner ce qu'il a commencé d'être. [11]Une fois reçu, d'autre part, si d'aventure il avait quelque chose — un livre ou tout autre objet —, qu'il ne lui soit plus permis de le posséder, [12]afin de pouvoir être parfait, alors qu'il n'a pu l'être ailleurs. [13]Quand les frères tiennent séance, si l'on confère ensemble sur les saintes Écritures et si d'aventure celui qui a été reçu a la science des Écritures, qu'il n'ait pas la permission de parler sans un ordre du préposé.

[14]Si, d'autre part, un clerc arrive en qualité d'hôte, [15]on doit le recevoir avec tout le respect qui est dû à un ministre de l'autel. [16]Il ne sera permis à personne de conclure l'oraison en sa présence, même s'il n'est que portier, car c'est un ministre du temple. [17]Si un clerc est tombé dans quelque faute et que la chose soit prouvée, on ne lui permettra pas de conclure l'oraison, mais que le préposé, ou celui qui vient après lui dans la hiérarchie, ou tout autre frère qu'il voudra prononce la conclusion. [18]Au reste, il ne faut autoriser aucun clerc à demeurer au monastère, [19]sauf celui qu'une chute dans le péché a conduit à l'humilité et qui est blessé, pour qu'il soit guéri au monastère par le remède de l'humilité.

[20]Voilà ce qu'il vous suffit d'observer, ce qu'il vous convient de garder, et vous serez sans reproche.

---

16. *Alii* pour *nisi ipsi* : voir 4, 13 et note. De même, *siue,* que remplace *etiamsi*, est évité une fois de plus (cf. 4, 11 et note).

17. *Illi* pour *eum* avec *liceat* : normalisation (cf. 2, 38, etc.). *Qui post eum est in ordine* pour *secundum* : sur cette périphrase, voir Introd., chap. II, n. 40-43. Cf. GRÉGOIRE, *Reg.* 7, 10 = *Ep.* 7, 10 : *qui uos* (l'abbé) *ex ordine sequitur* ; *Reg.* 3, 23 = *Ep.* 3, 23 : *tertius a loco... abbatis.* *Quemcumque alium* : accusatif sujet, par attraction du relatif. Cet ajout ôte au clerc failli toute possibilité de « conclure ». *Quem ipse uoluerit* rappelle 2, 42.

18. *Permittendum* pour *permittatur* : cf. 2, 37 et note. Omission de *est* comme en 2, 36 ; 4, 10 (bis) ; 5, 1, à la différence de 1, 9.15 ; 2, 2.7.16 ; 3, 2.8.15 ; 6, 4.

19. Singulier pour le pluriel comme en 4, 14-16.

5   [1]Sed adhuc *nec* illud praetermittendum, *qualiter* uitia *singulorum pro* sui *qualitate* debeant *emend*ari. *Excommunicatio*nis igitur *iste ordo* seruetur. [2]*Si quis e fratribus sermonem otiosum emiserit,* [3]*reus sit concilii* et *triduo a fratrum congregatione* sequestretur et nemini liceat omnino nec *iung*ere se *ei* nec loqui *cum* illo.

[4]*Si* quis autem *fuerit depraehensus in ris*o *uel « scurrilitate » sermonis —* [5]*sicut dicit Apostolus : « Quae ad rem non pertinent » —,* [6]statuimus *huiusmodi duarum ebdomadarum in nomine Domini flagello humilitatis coherceri,* [7]*dicente Apostolo : « Si quis frater nominatur inter uos maledicus » aut iracundus aut superbus* « aut auarus » et reliqua, [8]*« hunc notate et* non commisceamini cum eo ; *nolite* autem *ut inimicum* existimare, *sed corripite ut fratrem » ;* [9]item *alio loco : « Si quis » frater* « praeoccupatus *fuerit in aliquo delicto, uos qui spiritales estis », corripite « huiusmodi* in spiritu lenitatis. »* [10]*Sic debet unusquisque* uestrum instruere alium, *ut per humilitatis frequentiam non reprob*um *sed probat*um ac perfectum faciat *in* monasterio perdurare.

[11]Illud praeterea prae *omni*bus *praecipimus uobis, qui huic praeestis officio, ut person*arum acceptio nec nominetur apud uos, [12]*sed omnes diligantur aequali affectu et* corde recto, ut

---

5, 3 congregationem P || 5 quae P^{pc} : quem P^{ac} || 6 flagellum P || 7 superuus P ||

5, 2 Cf. Mt 12, 36 || 3 Cf. Mt 5, 22 || 4-5 Ep 5, 4 || 6 Cf. 1 Co 5, 3-5 || 7 1 Co 5, 11 ; cf. Ep 5, 3 || 8 2 Th 3, 14-15 || 9 Ga 6, 1 || 10 Cf. 1 Co 9, 27 || 11-13 Cf. Jc 2, 1 ; Rm 2, 11 ; Ep 6, 9 || 11 Cf. Ep 5, 3 ||

5, 1. *Illud* pour *hoc* : 3, 20 cf. 2, 4 (*id* pour *hoc*). *Seruetur* pour *teneatur* : voir 3, 2 et note.

3. La menace évangélique n'est pas évitée mais accomplie. Fin comme dans *RB* 26, 1 (Introd., chap. II, n. 30).

6. Omission de *omni* après *Domini* (haplographie ?).

7. Citation rectifiée (*maledicus* avant les deux termes adventices) et complétée (*aut auarus*).

¹Mais en outre il ne faut pas non plus omettre de dire comment les vices de chacun doivent être corrigés selon leur nature. En matière d'excommunication, voici donc la règle à observer. ²Si l'un des frères laisse échapper une parole oiseuse, ³il sera « passible du conseil » et exclu de la communauté des frères pendant trois jours. Que personne n'ait la permission d'avoir le moindre rapport ou conversation avec lui.

⁴Si quelqu'un est pris à rire ou à dire des mots drôles — ⁵« ce qui ne convient pas », comme dit l'Apôtre —, ⁶nous prescrivons de le réprimer au nom du Seigneur pendant deux semaines par des punitions humiliantes. ⁷En effet, l'Apôtre dit : « Si l'on entend parler parmi vous d'un frère injurieux, emporté, orgueilleux ou cupide », et le reste, ⁸« infligez-lui un blâme et rompez avec lui ; cependant ne le considérez pas comme un ennemi, mais reprenez-le comme un frère » ; ⁹de même ailleurs : « Si un frère tombe dans une faute, vous qui êtes spirituels, reprenez-le en esprit de douceur ». ¹⁰C'est ainsi que chacun d'entre vous doit instruire son prochain, pour obtenir, par ces humiliations multipliées, qu'il demeure au monastère, sans être réprouvé, mais parfaitement éprouvé.

¹¹En outre, nous vous prescrivons ceci avant tout, à vous qui présidez à cette fonction : qu'on n'entende même pas parler chez vous de discrimination, ¹²mais aimez tout le

---

8-9. Citations complétées. *Praeoccupatus* (pour *praeuentus*) comme dans la Vulgate. *Instruite* (Vulg.) omis avant *corripite* ; seul ce terme adventice est retenu.

10. *Monasterio* pour *congregatione,* pourtant ajouté en 1, 10.

11. *Illud* pour *hoc* comme plus haut (3, 20 ; 5, 1). De même, *hoc* est parfois omis (3, 12 ; 4, 5 ; 5, 15) ou remplacé par *id* (2, 4), mais gardé 8 fois (1, 18 ; 2, 2.21 ; 3, 2-3.26 ; 5, 8.11) et ajouté 4 fois (Pr 2 ; 2, 37 ; 3, 23 ; 4, 3).

12. *Corde recto* pour *correptione,* peut-être par déformation, mais la phrase entière est changée.

omnes sanentur, [13]*quia* aequitas multum est amabilis *Deo,* sicut e contra personarum acceptio, ex qua iniquitas oritur, nimis ei est execrabilis ; [14]quapropter *Propheta* clamat *dicens :* « *Si uere utique iustitiam loquimini, iusta iudicate, fili hominum.* »

[15]*Nec uos latere uolumus* quoniam *qui errantem* corrigere neglexerit, grauiter de eodem *rationem* est *redditur*us, eo quod perditio animae fratris de eius manibus requiretur. [16]*Estote* ergo *fideles et* optimi *doctores,* et non solum uerbo sed etiam operibus possitis aedificare alios ; non est enim uerus doctor qui tantum uerbo docere desiderat. [17]« *Corripite inquietos, suscipite infirmos,* consolamini pusillianimes, *patientes estote ad omnes »,* [18]*et quantos fueritis lucrati, pro tantis mercedem* recipiatis aeternam ; [19]« *in nomine Patris et Filii et Spiritus Sancti, cui gloria,* laus et honor *in saecula saeculorum. Amen ».*

6   [1]« Beatus » quidem qui haec fideliter legit et beatus qui audit libenter. [2]Sed nisi omnia, siue « qui legit » siue « qui

---

15 requiritur *Pn* || 16 et ² : ut *n* || uerbo¹ : uerbum *P* || positis *P* || uerbo² : uero *P* || 18 recipietis *n*

6, 1 leget *P* || 2 studiosae *P* ||

13 Cf. Ps 10, 8 ; Si 10, 7 || 14 Ps 57, 2 || 15 Cf. He 13, 17 ; Ez 33, 6 || 16 Cf. Ap 2, 10 ; Mt 25, 21 || 17 1 Th 5, 14 || 17-18 Cf. Mt 18, 15 || 18 Cf. 2 Jn 8 || 19 Mt 28, 19 ; 2 Tm 4, 18 ; cf. 1 P 1, 7.

6, 1-2 Ap 1, 3 || 2 Cf. Esd 6, 12 ||

---

13. Sur cette amplification et les suivantes, voir Introd., chap. I, n. 10 et 16. Cf. *RM* 2, 19 = *RB* 2, 20.

14. *Clamat dicens* rappelle *RM* 1, 76 ; 10, 1 (*RB* 7, 1).

15. *Vos* pour *uobis* avec *latere* : cf. 4, 17 (*illi* pour *eum* avec *liceat*). *Nouerit* évité comme en 2, 34-35 ; 3, 30 (gardé en 4, 9). *Requiretur* est au présent dans le ms. : cf. 3, 30 (*agnoscit*).

monde d'une affection égale et d'un cœur droit, pour que tout le monde soit guéri, [13]car l'équité est très chère à Dieu, comme au contraire la discrimination, qui tourne à l'iniquité, lui est extrêmement odieuse. [14]Aussi le Prophète lance-t-il cette parole : « Si donc vous dites vraiment la justice, prononcez des jugements justes, fils des hommes ».

[15]Nous vous prions aussi de ne pas perdre de vue que celui qui néglige de corriger l'égaré rendra compte pour lui ; et ce sera grave, car ses mains seront tenues pour responsables de la perte de son frère. [16]Soyez donc des maîtres fidèles et parfaits, et puissiez-vous édifier autrui non seulement par la parole, mais encore par des actes. Ce n'est pas, en effet, un vrai maître que celui qui désire enseigner uniquement par la parole. [17]« Reprenez les fauteurs de trouble, soutenez les faibles, réconfortez les découragés, soyez patients envers tous », [18]et plus d'âmes vous aurez gagnées, plus vous recevrez, nous l'espérons, de récompense éternelle, [19]au nom du Père et du Fils et du Saint Esprit, à qui soit la gloire, la louange et l'honneur dans les siècles des siècles. Amen.

6   [1]Heureux sans doute celui qui lit ce texte fidèlement et heureux celui qui l'écoute de bon cœur. [2]Mais si celui qui lit

---

16. Double enseignement des supérieurs : *RM* 2, 11-12 = *RB* 2, 11-12 ; Fructueux, *Reg.* I, 20 (2, 81-82 et 19, 379-386 Campos). *Doctores* : *RM* 1, 82, etc. *Aedificare* : *RM* 1, 89. Π s'écarte du sujet (devoir de corriger) pour faire une digression sur la manière d'enseigner. Cf. 2, 3.

17. Citation complétée, mais la Vulgate place *consolamini pusillianimes* avant *suscipite infirmos,* conformément au grec.

18. *Recipiatis* (subjonctif), comme plus haut *possitis* (16), peut s'entendre comme un souhait.

19. *Gloria, laus et honor* fait penser à la célèbre hymne des Rameaux de Théodulfe (IXᵉ s.), où l'hommage s'adresse au Christ.

6, 1. Sur cet appendice reliant RIVP à *RM,* voir Introd., chap. I, n. 8-9. Lecture publique de la règle : *ibid.,* n. 54. Cf. *RM* Pr 1.

2-3. Menaces analogues au début et à la fin du Symbole *Quicumque.* Cf. *RM* Pr 21.

audit, quae scripta sunt » studiose inpleuerit, [3]non solum perdet beatitudinem, sed etiam damnationem inueniet, « quae praeparata est diabolo et angelis eius », [4]unde « sine inter- missione orandum » est, ut nos omnes Dominus dignetur eripere ad gloriam in saecula saeculorum. Amen.

4 intermissionem P

3 Mt 25, 41 ; cf. Si 36, 11 ‖ 4 1 Th 5, 17 ; cf. 2 Tm 4, 18.

ou celui qui écoute n'accomplit pas soigneusement tout ce qui
est écrit, [3]non seulement il perdra la béatitude, mais en outre
il encourra la damnation « qui est préparée pour le diable et
ses anges ». [4]Il faut donc prier sans cesse le Seigneur de
daigner nous en délivrer tous et nous conduire à la gloire
dans les siècles des siècles. Amen.

---

4. Prier sans cesse : *RM* Thp 71 et 79.

ADDENDA

I. **P. 444, n. 25.** L'aversion de l'Anonyme pour *comedere*, en contraste avec la faveur que Jérôme montre à ce terme, est à rapprocher des comportements opposés de deux traducteurs d'apophtegmes au VI⁰ siècle. Tandis que PÉLAGE, *Vitae Patrum* 5, 4, 38, traduit uniformément par *manducare* les quatre *esthiein* du grec (*Sisoès* 4), PASCHASE DE DUMIO, *Liber geronticon* 4, 1, marque sa préférence pour *comedere*, tout en variant : *reficiamus, comedimus* (bis), *manducemus.* Ailleurs, Pélage répète trois et cinq fois *manducare* (*V. Patr.* 5, 4, 17 et 59), alors que Paschase répète *comedere* avec la même constance (*Lib. ger.* 3, 3 et 5). L'opposition est à peine moins nette dans deux autres cas (*V. Patr.* 5, 4, 40 et 8, 21 ; *Lib. ger.* 2, 1 et 6, 2), encore que Pélage rejoigne Paschase, occasionnellement, en écrivant *comedere* à trois reprises (*V. Patr.* 5, 10, 99 ; *Lib. ger.* 2, 4).

L'éditeur de Paschase, J. G. Freire, se demande à ce propos (p. 74-75 ; cf. p. 85) si le penchant du moine de Dumio peut indiquer une zone linguistique. L'aversion de l'Anonyme jurassien pour *comedere* serait-elle, de son côté, un trait régional ?

II. **P. 468 (note sous ROr 9, 2).** D'après sa traduction latine, le texte pachômien (*Praec.* 98) fait allusion à Lv 27, 10 : *Et mutari non poterit, id est nec melius malo nec peius bono* (cf. Lv 27, 33 VL : *Non mutabis illud bonum malo neque malum bono*), mais il s'agit seulement, semble-t-il, d'une fantaisie du bibliste qu'est Jérôme, car ni l'original copte de Pachôme, ni les *Excerpta* grecs (43-44) ne parlent de ces deux sortes d'échanges, pour obtenir du meilleur ou du moins bon. Cette fioriture biblique se retrouve dans *Reg. Tarn.* 1, 25-26, mais elle manque dans *Reg. Pauli et Stephani* 27, 2-3.

III. **P. 488 (note sous ROr 32, 4).** A propos du frère qui se lève de mauvaise grâce, BASILE, *Reg.* 76, dit déjà : *excommunicari debet et non manducare.*

IV. **P. 513, n. 36.** Outre la phrase citée par le concile de Vaison, voir JÉRÔME, *Ep.* 108, 6 (il s'agit de Paula) : *Furtum quasi sacrilegium detestabatur, et quod inter saeculi homines uel leue putatur uel nihil, hoc in monasteriis grauissimum dicebat esse delictum.* Par son contexte monastique, cette phrase se rapproche davantage de 3RP 13, 1.

V. **P. 533 (note sous 3RP 2, 2)**. Même expression chez CÉSAIRE, *Reg. uirg.* 5, d'après le ms. Bamberg, lit. 142 (cité par Morin dans l'apparat) : *abbatissa, quae omnia in potestate habere dinoscitur...*

VI. **P. 535 (note sous 3RP 4, 1)**. Comparer cet *ad monasteriis,* où *ad* semble mis pour *ab,* et NICETIUS, *Ep. ad Justinianum* 3, *CC* 117, p. 417, 24 : *quod... ad omnes rectores... condemnatum fuerat.* Nizier de Trèves est justement un des Pères du concile de Clermont. Cette leçon aberrante de *T* est donc moins invraisemblable qu'elle ne paraît (cf. ci-dessus, p. 530, n. 11).

VII. **P. 539 (note sous 3RP 12, 1)**. L'expression du concile d'Agde se retrouve chez CÉSAIRE, *Reg. uirg.* 36, 1 : *propter custodiendam famam uestram.*

VIII. **P. 541 (note sous 3RP 13, 5)**. Sur la réduction du clerc à la communion laïque et sur la *peregrina communio,* voir C. VOGEL, « *Laica communione contentus.* Le retour du presbytre au rang des laïcs », dans *Rev. sc. relig.* 47 (1973), p. 56-122 ; « *Peregrina communio* », dans *Rev. dr. can.* 30 (1980), p. 178-182.

IX. **P. 551, n. 11.** A la différence des traductions recensées dans notre Bibliographie (p. 19 : « *The Rule of Four Fathers* » et G. TURBESSI), celle que mentionnent nos *Addenda* au tome I (p. 391 : *Early Monastic Rules*) est heureusement faite sur le texte E des Quatre Pères.

INDEX VERBORUM

par J.-M. Clément

Cet Index complet des six pièces donne habituellement le détail des références. Dans certains cas, il indique seulement le nombre de fois (f) où le mot apparaît dans telle ou telle pièce. Placé entre parenthèses à la suite d'une référence, le même sigle (f) marque le nombre de fois où le mot revient dans le verset considéré.

Comme le Lexique de J. Neufville (*Rev. Bénéd.* 77 [1967], p. 97-106), notre Index distingue, dans la RIVP, ce qui est propre aux textes E et Π et ce qui leur est commun (R1). Les sigles employés sont donc :

R1	:	Règle des Quatre Pères (E et Π).
E	:	Règle des Quatre Pères (E seul).
Π	:	Règle des Quatre Pères (Π seul).
R2	:	Seconde Règle des Pères.
RMa	:	Règle de Macaire.
ROr	:	Règle Orientale.
R3	:	Troisième Règle des Pères.

On le voit, la recension Π ne figure pas ici en dernier lieu, mais à la suite de R1 et de E.

Nous n'avons pas cru nécessaire de signaler par des renvois les menues différences graphiques dues à l'assimilation des préfixes ou à des variations telles que *coerceo/coherceo, iocundus/iucundus, Pafnutius/Paunuthius, praecor/precor.*

A. V.

A

concupisco, E 2, 12.
condemnatio, ROr 29, 5.
condemno, RMa 20, 3 ‖ ROr 1, 7 ; 17, 35 ; 46, 1.
condio, ROr 25, 6.
condo, ROr 17, 3.
confero, E 2, 34.
conficio, RMa 8, 3.
confido, RMa 6, 4 ; 7, 3.
confirmo, RMa 21, 4.
confundo, R2 31 ‖ RMa 25, 5.
confusio, R1 2, 13 ‖ ROr 32, 7.
congaudeo, RMa 5, 3.
congregatio, R1 3, 22 ; 5, 3 ‖ E 5, 10 ‖ Π 1, 10 ‖ R2 39 ‖ RMa 15, 7.
conscientia, ROr 26, 4 ‖ R3 9, 1.
conscribo, E 2, 1 ‖ R2 2.
consentio, R2 30 ‖ RMa 13, 2 ‖ ROr 33, 1 ; 47, 1.
consequor, E 2, 30 ‖ Π 3, 26.
considero, R1 1, 15 ; 3, 19 ‖ ROr 2, 7 ; 17, 28 ; 25, 8.
consigno, ROr 25, 4.
consilium, R1 Pr 2 ‖ E 1, 11 ‖ RMa 21, 3 ‖ ROr 1, 4 ; 3, 1 ; 19, 1 ; 25, 2.10 ; 33, 1 ‖ R3 4, 3.
consisto, R2 30 ‖ RMa 13, 1.
consocio, ROr 20, 4.
consolatio, R2 13.
consolor, Π 5, 17 ‖ ROr 22, 3.
conspectus, ROr 32, 3.
constituo, R2 3 ‖ ROr 19, 1 (2f) ; 20, 2.
consuetudo, ROr 15, 1 ; 25, 6 ; 30, 1.
contemno, RMa 3, 2 ‖ ROr 19, 1 ; 27, 4.
contentio, R2 21 ‖ ROr 14, 1.
contentiosus, R2 27 ‖ RMa 12, 1.
contineo, E 3, 23 ‖ RMa 1, 2 ; 24, 2 ‖ ROr 29, 3.5 ‖ R3 1, 6.
continuus, Π 2, 25.

contra, Π 5, 13 ‖ RMa 4, 3 ‖ ROr 2, 6.7 ; 15, 2 ; 21, 1 (2f).
contradico, ROr 14, 1.
contrarius, R2 27 ‖ RMa 12, 2 ‖ ROr 9, 2.
contristo, RMa 5, 3.
conuenio, R1 3, 3 ; 4, 20 ‖ E 2, 15.42 ‖ R2 37 ; 38 ‖ RMa 15, 3.6 ‖ R3 1, 1.
conuentus R2 12 ‖ ROr 32, 7.
conuersatio, E Pr 3 ‖ ROr 1, 1.7 ; 2, 4 ; 17, 29 ; 21, 2 ; 22, 3.
conuerto(r), R1 2, 16.18 ‖ E 2, 21.29 ‖ RMa 23, 1 ‖ R3 1, 3.
conuiuium, R1 2, 13.
copulo, ROr 27, 7.
coquino, ROr 6, 1.
cor, Π 5, 12 ‖ RMa 1, 3 ‖ ROr 17, 8.20 ; 20, 4 ; 32, 10.
coram, RMa 24, 2 ; 26, 3 ; 27, 5 ‖ R3 1, 6.
corona, RMa 28, 5.
corpus, R1 3, 19 ‖ E 3, 15, Π 3, 19 ‖
correptio, E 5, 12 ‖ ROr 18, 2.
corrigo, Π 5, 15 ‖ ROr 19, 1.
corripio, R1 5, 8.9.17 ‖ E 5, 15 ‖ R2 28 ; 29 ; 43 ‖ RMa 12, 3.6 ; 17, 1 ‖ ROr 18, 2 ; 19, 1 ; 32, 1.2 ; 47, 1 ‖ R3 2, 5 ; 6, 2.
credo, R1 2, 3 ‖ Π 3, 23 ‖ RMa 8, 4 ; 22, 2 ‖ ROr 29, 1 ‖ R3 8, 2.
cresco, ROr 29, 4.
crimen, E 4, 17 ‖ R3 13, 3.
crux, R1 2, 31.32.33.
cubiculum, ROr 10, 1.
cubile, ROr 17, 6.
cubitum, ROr 44, 3.
culpa, E 5, 1 (2f) ‖ R2 28 ; 40 ‖ RMa 12, 3.4 ; 16, 2 ‖ ROr 20, 3 ; 32, 1.9.10 ; 34, 1.
culpabilis, R2 35 ‖ RMa 13, 2 ‖ ROr 24, 4 ; 32, 1 ; 33, 2.
cultor, E 5, 16.

digne, R2 28 || RMa 12, 3 ; 23, 3 ||
ROr 20, 3 || R3 1, 5.
dignitas, R3 13, 4.
dignor, Π 6, 4.
dignus, R2 30 || ROr 18, 2.
diiudico, ROr 17, 43 ; 20, 3 ; 21, 2.
dilectio, RMa 6, 2.
diligens, R3 14, 4.
diligenter, ROr 25, 1 ; 27, 3 ; 28, 2.
diligentia, ROr 2, 4 ; 3, 1.
diligo, R1 5, 12 || R2 7 || RMa 1,
3 ; 7, 1.2 ; 9, 1.
dimitto, RMa 26, 3.
diripio, RMa 28, 4.
discedo, RMa 25, 5 ; 28, 3 || ROr
27, 3 || R3 10, 2.
discerno, Π 2, 7.
disciplina, ROr 1, 1 ; 2, 1.6 ; 3, 1
(2f) ; 15, 2 ; 27, 5 ; 29, 1.
disco, ROr 27, 2.
discordia, ROr 21, 5.
dissimulatio, ROr 28, 3.
dissipo, ROr 13, 2.
disto, ROr 44, 3.
districtus, R3 14, 2.
distringo, RMa 26, 2.
diu, R2 32 || ROr 21, 4 (2f).
diuersus, E 1, 2 || ROr 25, 9 || R3
3, 2.
diues, R1 2, 30 || E 2, 29.
diuido, ROr 2, 2.
diuinitas, R3 14, 5.
diuinus, R1 2, 42.
diuitiae, R1 2, 17.18.19.
do, R1 2, 31.37 || R2 10 ; 19 ; 20 ;
31 ; 32 ; 41 || RMa 14, 1 ; 15,
1 ; 16, 5 || ROr 2, 2 ; 9, 2 (2f) ;
21, 5 ; 25, 6 ; 26, 2 ; 27, 3 ; 31,
2 ; 33, 1 ; 38, 1 ; 39, 1 || R3 6, 1.
doceo, Π 2, 36 ; 3, 17 ; 5, 16 || R2
5 ; 26 || RMa 11, 3 || ROr 17,
18 ; 20, 2 ; 27, 2.5 || R3 4, 1 ; 9,
1.
doctor, Π 5, 16 (2f) || ROr 1, 3.

doctrina, RMa 27, 7.
dolus, ROr 17, 12.
dominicus, R1 3, 5 || E 3, 6 || ROr
27, 2.
dominor, R1 3, 24 || ROr 17, 5.
Dominus R1 Pr 2 ; 1, 1.12.14.17 ;
2, 9 ; 5, 6 || E 1, 16 ; 2, 32 || Π
2, 29.30 ; 6, 4 || R2 1 ; 4 ; 11 ;
41 ; 45 || RMa 16, 4 ; 17, 4 ; 19,
2 ; 20, 2 || ROr 17, 4 ; 35, 1 ||
R3 1, 1.
domus, R1 1, 6.8 || E 3, 30 || ROr
7, 1 ; 16, 1 ; 39, 2.
donatum, R3 2, 3.
donec, ROr 19, 1.
dormio, ROr 8, 1 ; 10, 1 ; 44, 2.
dormito, RMa 8, 3.
dubitatio, R2 3.
duco, ROr 17, 22.
dudum, R2 22.
dulcis, ROr 17, 20.
dum, ROr 22, 3.
dumtaxat, ROr 13, 3.
duo, R1 4, 1 ; 5, 6 || ROr 2, 1.
duplex, ROr 17, 7.
dure, ROr 15, 1 ; 16, 1.
duritia, ROr 33, 1.
duro, RMa 27, 2.
durus, R1 2, 26 || ROr 35, 1.

E

E, ex, R1 2f || E 2f || Π 5f || RMa
1, 3 (4f) ; 25, 1 ; 28, 1 || ROr 2,
3 ; 3, 1 ; 9, 2 ; 14, 1 ; 16, 2 ; 18,
1 ; 25, 8 ; 29, 3 ; 32, 10 || R3 2,
3.
ebdomada, v. hebdomada.
ebrietas, R3 9, 1.
ecce, R1 1, 5.
edo, Π 2, 41.
ego (v. aussi nos), R1 1, 17 ; 2, 31
|| R2 9 (4f) || RMa 27,2.

egredior, RMa 22, 1 || R3 8, 1 ; 9, 1 ; 14, 3.

eicio, ROr 1, 9.

eligo, E 3, 24.

emendatio, ROr 32, 2.

emendo, R1 5, 1 || R2 28 ; 43 ; 44 || RMa 17, 1.3 ; 27, 6.7 || ROr 2, 7 ; 29, 2 ; 32, 3.4 ; 34, 1 ; 35, 1 || R3 2, 5 ; 9, 3.

emitto, R1 2, 10 ; 5, 2.

enim, Π 5f || ROr 29, 2.

eo, RMa 28, 6 || ROr 12, 1 ; 23, 1.

episcopus, R3 2, 4.5.

eremus, v. heremus.

erga, R1 2, 16.

ergo, R1 4f || E 5f || Π 3f || RMa 1, 1 ; 23, 1 ; 26, 1.

erigo, R1 2, 4.

eripio, Π 6, 4.

erogo, RMa 24, 5.

erro, R1 5, 15 || ROr 29, 2.

error, R2 30 || RMa 13, 2 || ROr 24, 4 (2f) ; 29, 2 ; 32, 10 ; 33, 1.2.

erubesco, RMa 14, 4.

esca, ROr 25, 9.

et, R1 36f || E 14f || Π 11f || R2 16f || RMa 26f || ROr 58f || R3 9f.

ethnicus, R2 45 || RMa 17, 4.

etiam, R1 3, 14.28 || Π 7f || R2 3f || RMa 4f || ROr 6f || R3 1, 7 ; 5, 2 ; 12, 1.

etiamsi, Π 4, 16.

euangelium, R2 33 || ROr 40, 2.

euoco, ROr 23, 1.

exalto, R2 42 || RMa 3, 3 ; 16, 6 ; 19, 1.

examinatio, R1 2, 16.

examino, E 2, 22.

excedo, ROr 16, 1.

excelsus, RMa 28, 4 || ROr 17, 6.

excepto, E 3, 5 || R3 3, 2.

exceptus, Π 3, 5.

excipio, R3 12, 3.

excludo, R2 31 || RMa 14, 4.

excommunicatio, R1 5, 1 || R2 30.

excommunico, ROr 32, 4 || R3 6, 3.

execrabilis, Π 5, 13.

exeo, R2 37 || RMa 15, 5 ; 25, 1 ; 28, 1 || ROr 2, 6 ; 26, 6 || R3 10, 1.

exerceo, ROr 13, 2.

exercitium, R1 2, 2.

exhibeo, R1 2, 3 || R2 14 || RMa 27, 6.

exigo, ROr 2, 4.

eximo, Π 2, 25.

existimo, Π 5, 8.

existo, Π 2, 35 || R2 24 ; 27 || RMa 10, 2 ; 12, 1 || ROr 17, 29 || R3 5, 2.

expecto, ROr 21, 3.

expedio, R3 9, 2.

expensa, ROr 25, 6.

experimentum, ROr 27, 3.

explicit, Π 1, 18 ; 2, 42 ; 3, 31 || R2 46 || RMa 30, 4 || ROr 47.

explico, ROr 3, 5.

expono, R1 2, 21 || ROr 25, 6.

exterior, RMa 28, 6.

exterminator, R1 3, 13.

extollo, RMa 5, 1.

extra, RMa 28, 3 || R3 9, 1 ; 10, 3.

extraneus, R2 44 || RMa 17, 4 || ROr 26, 3 ; 35, 1 || R3 4, 1.

F

Fabula, R2 11 ; 16 ; 37 || RMa 15, 5 || ROr 22, 4.

facinus, R3 9, 3 ; 13, 4.

facio (v. aussi fio), R1 1, 6.17 ; 2, 23 ; 3, 12.20 ; 4, 6 || E 2, 33 ; 3, 12.14 || Π 2, 30 (2f) ; 5, 10 || RMa 4, 2 ; 5, 1 ; 21, 2 (2f) ; 30,

haesito, RMa 20, 3.
hebdomada, R1 2, 25 ; 3, 22 ; 5, 6.
hebraeus, R1 1, 13.
heres, RMa 25, 3.
heremus, E 1, 2.
hic, R1 10f || E 7f || Π 8f || R2 4f
    || RMa 4f || ROr 24f || R3 14, 4.
hilaris, RMa 2, 7 ; 20, 4.
hinnio, ROr 17, 10.
holus, v. olus.
homo, R1 5, 14 || E 2, 28 || ROr
    17, 28 ; 47, 1.
honestas, ROr 18, 1.
honestus, ROr 15, 1 ; 22, 3 ; 26, 2.
honor, Π 5, 19 || ROr 40, 1.
honoro, R2 4.
hora, R1 3, 4.10 || Π 3, 5 || R2 23 ;
    25 (2f) ; 31 || RMa 10, 1 ; 11, 1
    (2f) ; 14, 1 ; 24, 4 || ROr 24,
    1.3 ; 27, 3 || R3 1, 7 ; 5, 1.3
    (2f) ; 6, 1.
hortor, ROr 1, 7.
hortulanus, hortus, v. ort-.
hospes, R1 2, 36 ; 4, 14 || Π 2, 40
    || RMa 20, 2.
hospitalitas, RMa 20, 1.
huiuscemodi, R1 2, 17 || E 2, 28 ;
    3, 19 || ROr 4, 2.
huiusmodi, R1 5, 6.9 || Π 2, 25.
humerus, ROr 45, 1.
humilio, R2 28 ; 40 ; 42 || RMa 3,
    3 (2f) ; 12, 5 ; 16, 4.6 || ROr 32,
    10 ; 33, 1 ; 34, 1.
humilis, R2 14 ; 41 || RMa 16, 5 ;
    28, 7 || ROr 1, 2.
humilitas, R1 2, 23 ; 4, 19 (2f) ; 5,
    6.10 || R2 5 || RMa 2, 7 ; 19, 2
    || ROr 3, 3 ; 17, 44 ; 26, 2 ; 30,
    1.
hymnus, R1 3, 7.

I

Iaceo, R1 2, 25.

iam, R1 1, 7 || E 2, 35 || R3 13, 4.
ianitor, ROr 41, 1.
ianua, ROr 26, 1.6 ; 27, 2.8.
ibidem, Π 4, 9.
idem, Π 2, 5 ; 3, 7 ; 5, 15.
idoneus, Π 3, 14.
ieiunium R1 3, 2.16 || RMa 2, 7 ;
    26, 2 ; 29, 2.
ieiunus, ROr 1, 2 ; 37, 1.
Iesus, R2 1.
igitur, Π 1, 10 ; 2, 3.8 ; 3, 31 ; 5, 1.
ignoro, ROr 17, 29.
ille, R1 3f || E 1f || Π 8f || R2 4f ||
    RMa 7f || ROr 11f || R3 1, 4.7 ;
    2, 2 ; 8, 2 ; 11, 1.
imbuo, E 2, 23 || R3 11, 2.
imitor, ROr 17, 6.
immineo, ROr 17, 25.
impedio, R2 44.
immaculatus, R3 4, 5.
immemor, E 2, 9.
impedio, R2 34.
impendo, ROr 28, 2.
imperitus, R2 20.
imperium, R1 1, 11.12 ; 2, 15 || Π
    2, 33 || ROr 14, 1 ; 20, 4 ; 37, 1.
impero, Π 2, 23 ; 3, 11.
impleo, R1 2, 29 || Π 6, 2 || ROr 1,
    3 ; 28, 2 ; 29, 1 || R3 13, 5.
impulso, RMa 25, 4.
imus, R2 19.
in, R1 22f || E 17f || Π 12f || R2
    22f || RMa 14f || ROr 45f || R3
    17f.
inanis, RMa 20, 1 ; 21, 3 || ROr
    22, 4.
inaniter, ROr 1, 1.
incipit, R1 Pr T || Π 2, T ; 3, T ; 4,
    T || R2 T || RMa T || ROr T.
increpatio, ROr 47, 1.
increpo, R1 2, 5 || R2 40 || RMa
    16, 2 || ROr 13, 2.3.4 ; 14, 1 ;
    16, 1 (2f) ; 20, 3 ; 34, 1 ; 36, 1.
inde, RMa 25, 1 || R3 14, 3.

iterum, R1 1, 6 ; 2, 14 || ROr 13, 3 ; 25, 4.

iubeo, E 2, 42 ; 5, 6 || R2 43 || RMa 17, 2 || ROr 9, 3 ; 16, 2.

iucunditas, R1 1, 8.9.

iucundus, R1 1, 5.

Iudas, R1 3, 25.

iudicium, R2 7 || ROr 21, 4 || R3 14, 5.

iudico, R1 5, 14 || R2 35 || RMa 24, 4 || ROr 1, 5.7 ; 17, 28.34.45 ; 24, 4 ; 33, 2 ; 46, 1 || R3 1, 7.

iugis, R2 4.

iungo, R1 2, 26 ; 5, 3 || R2 16 || ROr 17, 44.

iunior, R2 12 || ROr 1, 1 ; 32, 8 || R3 2, 3 ; 13, 3.

iuro, ROr 30, 1.

ius, ROr 20, 1.3.

iussio, ROr 4, 2 ; 11, 1.

iuste, E 5, 14.

iustitia, R1 5, 14 || ROr 17, 39.

iustus, Π 5, 14 || RMa 3, 1 ; 8, 3 || ROr 17, 28.

iuuo, R1 1, 9 || E 2, 2.

iuxta, ROr 13, 3 ; 14, 1 ; 15, 2 ; 17, 5 ; 19, 1 ; 21, 5 ; 40, 2.

L

Labor, eris, R1 4, 17.

labor, oris, ROr 25, 8.

laboriosus, R1 2, 26 || RMa 8, 1.

laboro, Π 3, 19 || R2 3 || ROr 1, 1 ; 3, 4.

laetitia, R1 1, 12.

laetor, RMa 19, 2.

lapsus, R1 4, 19.

laqueus, R3 4, 1.

lassitudo, ROr 17, 39.

lassus, RMa 8, 4.

latebra, E 2, 25.

latus, R1 5, 15.

lauo, ROr 40, 2.

laus, R1 2, 10 || Π 5, 19.

lautus, ROr 17, 41.

lectio, R3 5, 1.2.

lego, Π 6, 1.2 || R2 23 ; 39 || RMa 15, 7 ; 23, 2 ; 25, 5 || ROr 24, 1 || R3 1, 1.2.4.

lenitas, R1 2, 5 ; Π 5, 9.

leuitas, R3 9, 2 ; 13, 5 ; 14, 2.

lex, ROr 7, 1 ; 17, 8.45.

libenter, Π 6, 1 || ROr 18, 1.

libere, ROr 1, 5.

libero, E 2, 25.

libertas, ROr 27, 1.

licentia, ROr 42, 1.

licet, R1 2, 38.40.41.42 ; 4, 4.11.13.16.17 || Π 2, 10 ; 3, 20 || R3 2, 1.

licitus, RMa 24, 6.

locus, R1 5, 9 || E 2, 6.20 || R2 3 ; 20 ; 34 || ROr 1, 3 ; 17, 2 ; 22, 4 ; 32, 5 || R3 9, 1.

loquor, R1 2, 42 (2f) ; 4, 13 ; 5, 14 || Π 5, 3 || R2 12 ; 17 ; 20 ; 46 || RMa 18, 1 ; 27, 3 || ROr 5, 1 ; 8, 1 ; 17, 16.20 ; 26, 4 ; 36, 1 ; 38, 1 ; 44, 1 || R3 7, 1.

lucror, R1 5, 18.

lucrum, RMa 5, 2.

ludo, ROr 18, 1.

lugeo, ROr 17, 4.

lumen, ROr 17, 26.

luminaria, ROr 28, 1.

luxuria, ROr 17, 14.

M

Macharius, R1 Pr T ; 2 T ; 4 T || Π 2, 42 || RMa T ; 30, 4.

madefacio, RMa 8, 3.

magis, R2 35 || RMa 21, 4 || ROr 33, 1 || R3 12, 3.

murmuro, R1 3, 13 || E 3, 13 || R2 27 || RMa 4, 2 ; 12, 1.

muto, ROr 9, 1 ; 17, 28 ; 38, 2.

mutuus, R1 3, 21.

mysticus, R1 2, 4.

N

Nam, RMa 24, 1.5 ; 27, 1 ; 28, 4 || R3 1, 6.

narro, ROr 23, 2.

ne, R1 2, 13 ; 3, 17 || E 5, 3 || RMa 8, 2 ; 20, 1.2 || ROr 2, 6 ; 13, 1 ; 17, 3.4.10.39.41 ; 21, 4 ; 25, 7 ; 26, 6 ; 27, 3 ; 35, 1.

nec, neque, R1 13f || π 5f || R2 7f || RMa 7f || ROr 35f || R3 1, 7 ; 2, 5 ; 4, 2.

necessarius, RMa 22, 1 || ROr 25, 3.4.6 ; 32, 1 ; 39, 2 || R3 3, 1 ; 8, 1.

necesse, R2 24 || RMa 10, 3 || ROr 24, 2 ; 25, 8 || R3 5, 2.

necessitas, R2 35 || RMa 30, 4 || ROr 1, 5.9 ; 2, 2.4.6 ; 25, 8 ; 26, 4 ; 28, 2 || R3 9, 2 ; 11, 2.

necessitudo, ROr 18, 1.

neglegens, ROr 16, 1 ; 22, 4.

neglegenter, R1 3, 29 || ROr 17, 15.

neglegentia, R2 36 || ROr 2, 5 ; 13, 2 ; 24, 3 ; 29, 3 || R3 11, 2.

neglego, π 5, 15 || ROr 17, 13.43.

nego, R1 2, 27 || ROr 25, 8.

negotium, ROr 22, 1.

nemo, π 5, 3 || R2 6 || ROr 7, 1 ; 9, 3 ; 11, 1 ; 30, 2 ; 38, 1 ; 39, 1 ; 44, 1.3.

nequitia, RMa 27, 1.

nescio, ROr 28, 3.

niger, R3 3, 2.

nihil, R1 2, 32 || π 2, 33 || R2 14 ; 31 || RMa 14, 3 ; 25, 2 ; 28, 2 || ROr 1, 4 ; 4, 2 ; 5, 1 ; 16, 2 ; 25, 2.8 ; 26, 5 ; 38, 2 || R3 6, 1 ; 10, 2.

nimium, ROr 16, 1.

nimis, π 5, 13.

nisi, R1 9f || π 6, 2 || E 6f || R2 3f || RMa 5f || ROr 6f || R3 6, 3 ; 7, 2 ; 10, 2 ; 14, 1.

nitor, ROr 28, 2.

noceo, ROr 17, 30.

nolo, R1 1, 14 ; 2, 12.14 ; 5, 8 || E 5, 15.

nomen, R1 5, 6.19 || R2 1 || R3 1, 1 ; 4, 4 ; 13, 4.

nomino, R1 5, 7 || π 5, 11.

non, R1 14f || E 7f || π 4f || R2 13f || RMa 23f || ROr 47f || R3 10f.

nonus, R1 3, 4.5.11 || R2 25 || RMa 11, 2 || R3 5,3.

nos, R1 Pr 1.2.3 || π 6, 4 || R2 1 ; 2 ; 3.

nosco, R1 2, 34 ; 3, 28 ; 4, 9 || E 2, 35 ; 3, 30 ; 5, 15 || RMa 21, 2.

noster, R1 Pr 2 ; 1, 4 (2f) ; 3, 17 || E 1, 17 || R3 1, 1.

notitia, R1 2, 15 || R3 2, 4.

noto, R1 5, 8.

nouus, R2 43 || RMa 17, 2 || ROr 16, 2.

nox, R2 32.

nugalis, RMa 28, 2 || R3 10, 2.

nullus, R1 8f || E 2f || R2 4f || RMa 5f || ROr 12f || R3 6f.

numerus, ROr 27, 1.

numquam, ROr 17, 32.34 || R3 13, 3.

nunc, R1 1, 7 ; 2, 2.

nuntio, ROr 23, 1 ; 26, 2 ; 27, 2 ; 41, 1.

nuper, II 2, 16.

nuto, ROr 17, 27.

O

Ob, ROr 22, 1.
obaudio, II 2, 15 || R2 7.
oblatio, R1 2, 34.
oboedientia, R1 1, 14.15.16.18 ;
2, 1.33 || RMa 2, 1.7 ; 19, 2.
oboedio (*v. aussi* obaudio), R1 1,
3.12.13 || E 2, 15 ; 3, 14 || Π 2,
33 ; 3, 12 || ROr 30, 1.
obsecro, R1 2, 5.
obsequium, RMa 2, 6 || ROr 2,
3.5 ; 28, 1 ; 29, 1.
obseruatio, R2 4.
obseruo, R1 3, 20 || R2 11 ; 17 ;
37 ; 39 || RMa 15, 2.8 ; 29, 1 ||
ROr 3, 5 ; 17, 3 ; 22, 4 ; 26, 6 ;
27, 8 ; 30, 1 || R3 14, 4.
obsideo, E 3, 18.
obtempero, Π 1, 13 ; 3, 14.
obtendo, ROr 39, 2.
obtineo, R1 4, 3.
occasio, ROr 12, 1 ; 21, 5 || R3 14,
3.
occupo, R2 37 || RMa 15, 5 || ROr
28, 2.
occurro, R1 2, 37.
occursus, R2 14.
oculus, RMa 20, 1 || ROr 17, 31.
odi, R1 2, 19 || RMa 8, 1 || ROr
17, 33.
odium, ROr 15, 1.
offero, R1 2, 38 || R3 4, 5.
officium, R1 2, 39 ; 3, 21.22.26 ; 5,
11 || Π 3, 21 || ROr 29, 1 || R3
13, 3.
olus, ROr 43, 1.
omnino, Π 2, 23.32 ; 3, 31 ; 5, 3 ||
ROr 13, 2 ; 15, 2 ; 23, 2.
omnis, R1 17f || E 2f || Π 7f || R2
11f || RMa 12f || ROr 28f ||
R3 11f.
opera, E 3, 16 || R2 11 ; 32 || RMa
4, 2 ; 5, 1 ; 8, 1 ; 15, 1.

operatio, R1 3, 7 || Π 3, 16.
operor, R1 3, 8.17 || E 4, 19 || R2
22 || ROr 5, 1.
opinio, ROr 29, 1.
oportet, E 2, 15 ; 3, 19 ; 4, 5 || Π 3,
23.28 || R2 33 || RMa 7, 2 ||
ROr 1, 2.
oppono, R2 27.
opportunus, R2 13.
opprimo, Π 3, 18.
optimus, R1 1, 3 || Π 5, 16.
opus, R1 1, 15 ; 3, 14 || Π 1, 18 ;
5, 16 || R2 19 ; 25 ; 31 ; 38 ||
RMa 8, 3 ; 11, 1 ; 14, 2 ; 15, 6 ||
ROr 1, 3 ; 2, 6 ; 13, 1.2.3 ; 15,
2 ; 17, 27 ; 27, 7 || R3 5, 3 ; 6, 1.
oratio, R1 2, 10.39 ; 4, 16 || E 3, 4
|| Π 4, 17 || R2 19 ; 22 ; 31 (2f) ;
32 || RMa 2, 6 ; 14, 1.3 ; 26, 2 ;
27, 6 || ROr 27, 2 || R3 6, 1 (2f).
oratorium, RMa 13, 1.
orbis, ROr 17, 45.
ordinatio, R2 7 || RMa T || ROr 1,
4 ; 3, 1.
ordino, R1 Pr 3 || E 1, 7 || Π 3, 22
|| R2 2 || R3 3, 1 ; 13, 2.
ordo, R1 1, 4.9 ; 2, 39 ; 3, 2.5 ; 5,
1 || E 2, 11.34 ; 3, 22 || Π 3, 21 ;
4, 17 || R2 17 ; 18 ; 43 || RMa
17, 2 || ROr 3, 1 ; 19, 1 ; 27, 6 ;
32, 5 || R3 1, 1.
orior, Π 5, 13 || ROr 20, 3 ; 21, 4.
oro, R1 2, 38 || Π 6, 4 || R2 33 ;
34 || RMa 9, 2 || ROr 12, 2.
ortulanus, ROr 43, 1.
ortus (hortus), ROr 43, 1.
os, R1 4, 1.
osculum, Π 2, 38.
ostendo, R1 2, 16 || E 2, 2.19 || Π
3, 15 || RMa 20, 4.
ostensio, R1 1, 7.
ostiarius, R1 4, 16 || ROr 26, 1.6.
ostium, ROr 8, 2 ; 23, 1 ; 27, 1 ;
40, 1 ; 41, 1.

otiosus, R1 5, 2 ‖ ROr 15, 1 ; 17, 16.

otium, RMa 8, 2.

P

Pacificus, RMa 2, 2 ; 28, 4.

paenitentia, paeniteo, *v.* poen-.

Pafnutius, R1 Pr T ; 3 T ‖ Π 3, 31.

pagina, R1 2, 42.

paradisus, RMa 6, 3.

paratus, R1 2, 23 ‖ R2 25 ; 31 ‖ RMa 2, 6 ; 11, 1 ; 14, 3 ‖ R3 5, 3.

parens, RMa 6, 4 ; 7, 1 ; 21, 5 ‖ R3 2, 3 ; 4, 1 ; 12, 2.

pariter, R3 14, 5.

paro, (*v. aussi* paratus), ROr 25, 9 ; 28, 1 (2f).

pars, E 2, 34 ; 3, 30.

particeps, Π 3, 30.

paruipendo, ROr 19, 1.

paruulus, ROr 17, 22.

patefio, R3 1, 4.

pater, R1 Pr T ; 5, 19 ‖ Π 1, 17 ‖ R2 T ; 1 ; 46 ‖ ROr 1, 3 ; 10, 1 ; 11, 1 ; 13, 2 ; 15, 2 ; 16, 1.2 ; 21, 3 ; 27, 2 ; 42, 1 ‖ R3 1, 1.

patiens, R1 2, 24 ; 5, 17 ‖ ROr 1, 2.

patientia, R2 5 ; 40 ‖ RMa 16, 3 ‖ ROr 3, 3 ; 30, 1 ; 34, 1.

patior, R1 2, 13 ‖ E 1, 2 ‖ R2 3 ‖ RMa 21, 1 ‖ ROr 25, 7 ; 26, 3.

paucus, ROr 27, 2 ; 32, 2.

pauper, R1 2, 18.19.21.31 ‖ RMa 20, 1.2 ; 24, 5.

pax, R1 2, 38.39 ; 4, 3 ‖ R2 14 ‖ ROr 20, 4 ; 30, 1.

peccatum, R1 4, 19 ‖ ROr 14, 1 ; 15, 2 ; 17, 13 ; 47, 1.

pecco, RMa 26, 1 ‖ ROr 32, 11.

peculiariter, ROr 30, 2.

penitus, RMa 25, 2 ; 28, 2 ‖ R3 10, 2.

per, R1 5f ‖ E 2f ‖ Π 1f ‖ R2 5f ‖ RMa 3f ‖ ROr 12f ‖ R3 2f.

perago, E 2, 39.

percutio, ROr 8, 2.

perditio, Π 5, 15.

perdo, Π 6, 3 ‖ ROr 13, 3 ; 17, 40.

perduro, Π 5, 10.

peregrinus, R1 2, 36.41 ‖ Π 2, 40 ‖ R2 14.

pereo, R1 3, 13 ‖ ROr 13, 1.2.

perfectus, R1 2, 35 ; 4, 12 ‖ Π 5, 10 ‖ RMa 1, 2 ; 2, 1.7 ‖ ROr 27, 7.

perficio, Π 3, 11 ‖ R2 26 ‖ RMa 11, 2 ‖ R3 5, 4.

pergo, ROr 39, 2.

periclitor, ROr 22, 3 ; 35, 1.

peritia, RMa 19, 1.

permissus, Π 3, 20 ‖ R3 14, 1.

permitto, R1 4, 18 ‖ ROr 26, 6 ; 41, 1 ‖ R3 14, 2.3.

perseuero, R1 2, 27 ‖ E 1, 4 ; 5, 10 ‖ RMa 27, 1 ‖ ROr 32, 6.

persisto, R3 2, 4.

persona, R1 5, 11 ‖ Π 5, 13 ‖ ROr 1, 6 ; 3, 3 ; 17, 34.

pertineo, R1 5, 5 ‖ ROr 2, 1.4 ; 28, 1.

peruenio, ROr 26, 5.

peruigilo, Π 1, 13.

pes, ROr 17, 17 ; 40, 2.

peto, E 2, 27 ‖ RMa 26, 3 ‖ ROr 26, 2 ; 32, 10.11 ‖ R3 6, 3.

Petrus, R1 3, 4.

pietas, R1 1, 7 ; 2, 4.7 ‖ E 4, 2.

piger, RMa 2, 6.

pius, ROr 1, 2.

placeo, R1 1, 15 ‖ E 5, 13 ‖ Π 2, 1 ‖ RMa 2, 4 ‖ R3 1, 1.2.

plenus, R1 1, 1 ‖ ROr 20, 4.

plus, R2 14 ‖ ROr 15, 1 ; 39, 1.

poena, RMa 29, 2.

TABLES

Dans les deux premières tables, les références en italiques sont celles qui figurent dans l'apparat des citations.

Partout, les chiffres renvoient aux pages des deux volumes. Les notes (en exposant) sont indiquées seulement quand il s'agit des chapitres d'introduction. Celles qui figurent sous le texte des règles ne sont pas spécifiées.

I. TABLE DES CITATIONS SCRIPTURAIRES

Exode

18, 22 : 482
18, 26 : 482

Lévitique

1, 1 : 336[137]
14, 8 : 189
19, 14 : *472*
27, 10 : 468 ; 605
27, 33 : 605

Nombres

1, 1 : 336[137]

Deutéronome

19, 15 : *198 ; 594*
27, 17 : *472*

Josué

1, 1 : 336[137]
24, 24 : *182 ; 580*

I Samuel

15, 22 : *182 ;* 183 ; *582*

II Samuel

1, 1 : 336[137]

I Rois

1, 1 : 336[137]

II Rois

1, 1 : 336[137]

I Chroniques

1, 1 : 336[138]

4, 2 : 71 ; 73 ; *186* ; 552[19] ; *584*
4, 18 : *600* ; *602*

Tite

1, 7 : *372*
1, 9 : *386*
2, 7 : 185 ; 427[26] ; 441[19] ; *462* ;
   463

Philémon

16 : *190* ; *588*

Hébreux

11, 5 : *184* ; *582*
11, 8 : *184* ; *582*
13, 17 : 84[106] ; 85[107] ; 86 ; *182* ;
   183 ; *204* ; 222[47] ; 552[17,19] ;
   582 ; *600*

Jacques

2, 1 : *204* ; *598*
2, 23 : *184* ; *582*
4, 6 : 270 ; *282* ; *380*

I Pierre

1, 7 : *600*
1, 9 : *192* ; *590*
4, 8 : *372*
5, 5 : *282* ; 283 ; *380*

I Jean

2, 16 : *474*
4, 18 : *372*

II Jean

8 : *204* ; *600*

III Jean

9 : *186* ; *584*

Apocalypse

1, 3 : 565[13] ; *600*
2, 10 : *204* ; *600*
11, 9 : *184* ; *582*

II. Table des auteurs anciens

38 : 229[80] ; 393
Ordo conuiuii : 332[123]

BASILE DE CÉSARÉE

Epistulae (Courtonne)
18 : 70[63]
204, 6 : 141[166]
218 : 70[63]

Epitimia (PG 31, 1305)
3 et 5 : 203
40 : 385
44 : 260

Moralia (PG 31, 691)
80, 14 : 141[166]

Regula (PL 103, 487)
    51[25] ; 108 ; 123 ; 125[105] ;
    126 ; 139-144 ; 153 ; 203 ;
    455[2] ; 569-570
1-2 : 336[140]
2 : 183
3 : 81[96-97] ; 89 ; 141[168] ; 183 ;
    218[27]
4 : 304[39] ; 313[65] ; *382*
6 : 189-190
7 : 82[100] ; 141[169] ; 189 ; 199
12 : 181
15 : 82[100] ; 139[159]
16 : 88[118] ; 241[135] ; 244[149-150]
17 : 205
25 : 241[137]
26 : 234[102]
28 : 241[135] ; 244[149]
29 : 383
31 et 44 : 139[159]
69 : 139[159]
70 : 221[42]
71 : 136[143]
76 : 393 ; 488[20] ; 605
80-81 : 139[159] ; 277
88 : 197
91-92 et 94 : 139[159]

96-98 : 139[159]
98-99 : 193
102 : 139[159]
103 : 141[170] ; 569[25]
104 : 141[170] ; 540 ; 569[25]
106 : 139[159] ; 383 ; 569[25]
107 : 197 ; 393
111-113 : 197
112 : 195
119 : 139[159]
131 : 195
137 : 393
174 et 176 : 139[159]
192 et 194 : 139[159]
197-199 et 201 : 139[159]
202 : 140[164]

Regulae fusius tractatae (Grandes Règles, PG 31, 889)
14 : 199
29 : 136[143]
32, 2 : 193
45, 1-2 : 193
47 et 51 : 136[143]

Regulae breuius tractatae (Petites Règles, PG 31, 1052)
39 : 136[143]
44 : 393
63 : 133 et 136[143]
147 et 173 : 393
275 : 141[165]

BASILE (Ps.)

Admonitio ad filium spiritalem (Lehmann)
1 et 3 : 373

BENOÎT D'ANIANE

Codex regularum (PL 103, 423)
    9 ; 38 ; 45 ; 51 ; 67[43] ; 100 ;
    101[30] ; 166[31] ; 171-174 ;

CÉSAIRE D'ARLES

11 : 38[30] ; 169[41] ; 283 ; 350[25] ; 512[33] ; 514[40]
13 : 350[26] ; 489
14 : 350[26] ; 133[133] ; 135[137] ; 309[56.59] ; 350[25] ; 450[41]   ·
15 : 169[41]
16 : 169[41] ; 511[30]
19 : 350[26]
22 : 332[123] ; 473
26 : 350[26]

Regula uirginum (Morin)
    32 : 38 ; 325[103] ; 356[43] ; 358[3] ; 432 ; 447 ; 518 ; 539

1 : 135[138] ; 533
2 : 383 ; 483 ; 487
2-4 : 319[81] ; 502[7]
3 : 487
4 : 78[86]
5 : 502[7] ; 605
6 : 502[7] ; 533
7 : 191
8 : 334[133]
9 : 417[14]
10 : 283
12, 2 : 324[97] ; 385
13 : 38[30] ; 203 ; 283 ; 309[58] ; 350[25]
13, 2 : 324[97]
15 : 239[124] ; 281
18 : 283 ; 487
19 : 38[30] ; 133[133] ; 135[137] ; 279 ; 307[49] ; 309[55.58-59] ; 350[25] ; 450[41]
20 : 38[30] ; 133[133] ; 135[137] ; 450[41]
25 : 120[99] ; 483
26 : 512[35]
34 : 489
35 : 276
36, 1 : 606
39 : 317[79] ; 512[33]
40 : 78[86] ; 483 ; 512[33]
41 : 512[33]
42 : 480 ; 482

43 : 120[99] ; 483 ; 533 ; 538
44 : 511[31]
46 : 317[79]
47 : 582
48-49 : 319[84]
50 : 483
51 : 317[79] ; 319[83] ; 417[14] ; 469
53 : 317[79] ; 319[83]
55 : 511[31]
58 : 316[73] ; 319[81]
59 : 511[30] ; 536 ; 582
64 : 533
65 : 582
66 : 135[138] ; 281
66-69 : 230[81] ; 392
67 : 332[123]
69 : 38[30] ; 133[133] ; 135[137] ; 307[49] ; 309[55.58-59] ; 377 ; 450[41]
73 : 533 ; 582

Sermones (CC 103-104)
    393

1, 4 : 205
1, 19 : 167[36] ; 169[41]
9 (p. 47, 12) : 181
27, 1 : 167[36] ; 169[41]
48, 3 : 387
73, 1 : 240[128]
73, 4 : 195
73-74 : 238[117]
74, 1 : 221[40]
75, 2 : 487
76 : 238[117] ; 240[128]
77 : 240[128]
77, 1 : 281
77, 6 : 277 ; 487
80 : 240[128]
80, 1 : 479
80, 2 : 383
83, 4 : 381
100, 4 : 387
156, 4 : 383
156, 6 : 183
189, 4 : 323[95]

17-18 : 58[2] ; 69[61]
18, 13 : 143[176] ; 144[179] ; 189
18, 27 : 69[6- 62]
21, 1 et 8-9 : 69[61]
32, 6-7 : 146[188]
32, 8 : 290[7]
37 : 69[61]
38, 7-9 : 133[132]
46, 2 : 69[62]
46, 2-3 et 47 : 69[61]
61, 6 : 191
62 : 70[63]

PASCHASE DE DUMIO

Liber geronticon (Freire)

2, 1 et 4 : 605
3, 3 et 5 : 605
4, 1 et 6, 2 : 605
96, 4 : 391

Passio Sancti Mauricii (Dupraz)
     35

I-II, fol. 367 : 35[26]
III, fol. 368 : 35[27]
V, fol. 370 : 35[26]

PASTOR

Libellus in modum symboli (Denzinger-Rahner 19)
     250[911]

PAULIN DE NOLE

Carmina (PL 61, 437)
24, 309-312 : 111[63]

Epistolae (PL 61, 153)
1, 10 : 201
49 : 70[63]
51 : 104[37] ; 115[80] ; 149[201]
51, 1 : 26[11]

PÉLAGE

Epistola ad Demetriadem (PL 30, 15)
23 :   132[127] ;   134[135] ;   185 ;
     309[56] ; 450[41]

PÉLAGE Ier, *v. aussi Vitae Patrum 5*

Epistulae (Gassó-Batlle)
32, 4 et 54, 1 : 202

PORCAIRE

Monita (Wilmart)
     33 ; 131[122] ; 343[7] ; 357[2]
L. 9-10 : 373
L. 10 : 342[4]
L. 12 : 95[6] ; 129[114] ; 280 ; 344[11]
L. 12-13 : 377
L. 13 : 343[8]
L. 18 : 344[9]
L. 19-20 : 343[8]
L. 20-21 : 344[9]
L. 30-31 : 344[11]
L. 41 : 343[8]
L. 43 : 344[11]
L. 44-45 : 277
L. 46-50 : 344[12]
L. 47 : 373
L. 49 : 344[10] ; 373
L. 61-64 : 344[12]
L. 64 : 344[11]
L. 64-65 : 95[7] ; 129[115] ; 191 ; 343[8]
L. 71 : 342[4]

POSSIDIUS DE CALAME

Vita Augustini (Bastiaensen)
26 : 535

PROSPER D'AQUITAINE

Epistula ad Augustinum (PL

III. Table des manuscrits

En marge, les sigles de notre édition. Le sigle P est employé à deux reprises, mais aucune confusion n'est possible, s'agissant de règles différentes (RMac et RIVP).

IV. Table des noms propres

Le sigle TA désigne la Table II (Auteurs anciens)

V. TABLE DES MOTS LATINS COMMENTÉS

VI. Table linguistique

En raison de l'ampleur des tables précédentes, nous n'enregistrons dans celle-ci qu'un tout petit nombre de faits, rangés simplement par ordre alphabétique.

TEXTE ET TRADUCTION

TROISIÈME RÈGLE DES PÈRES

INTRODUCTION

RECENSION SUD-ITALIENNE DES QUATRE PÈRES (Π)

SOURCES CHRÉTIENNES

LISTE COMPLÈTE DE TOUS LES VOLUMES PARUS

N.B. — L'ordre suivant est celui de la date de parution (n° 1 en 1942) et il n'est pas tenu compte ici du classement en séries : grecque, latine, byzantine, orientale, textes monastiques d'Occident ; et série annexe : textes para-chrétiens.

Sauf indication contraire, chaque volume comporte le texte original, grec ou latin, souvent avec un apparat critique inédit.

La mention *bis* indique une seconde édition. Quand cette seconde édition ne diffère de la première que par de menues corrections et des *Addenda et Corrigenda* ajoutés en appendice, la date est accompagnée de la mention « réimpression avec supplément ».

1. GRÉGOIRE DE NYSSE : **Vie de Moïse.** J. Daniélou (3ᵉ édition) (1968).

2 bis. CLÉMENT D'ALEXANDRIE : **Protreptique.** C. Mondésert, A. Plassart (réimpression de la 2ᵉ éd., 1976).

3 bis. ATHÉNAGORE : **Supplique au sujet des chrétiens.** *En préparation.*

4 bis. NICOLAS CABASILAS : **Explication de la divine Liturgie.** S. Salaville, R. Bornert, J. Gouillard, P. Périchon (1967).

5. DIADOQUE DE PHOTICÉ : **Œuvres spirituelles.** É des Places (réimpr. de la 2ᵉ éd., avec suppl., 1966).

6 bis. GRÉGOIRE DE NYSSE : **La création de l'homme.** *En préparation.*

7 bis. ORIGÈNE : **Hom. sur la Genèse.** H. de Lubac, L. Doutreleau (1976).

8. NICÉTAS STÉTHATOS : **Le paradis spirituel.** *remplacé par le n° 81.*

9 bis. MAXIME LE CONFESSEUR : **Centuries sur la charité.** *En préparation.*

10. IGNACE D'ANTIOCHE : **Lettres — Lettres et Martyre de POLYCARPE DE SMYRNE.** P.-Th. Camelot (4ᵉ édition) (1969).

11 bis. HIPPOLYTE DE ROME : **La Tradition apostolique.** B. Botte (1968).

12 bis. JEAN MOSCHUS : **Le Pré spirituel.** *En préparation.*

13. JEAN CHRYSOSTOME : **Lettres à Olympias.** A.-M. Malingrey. Trad. seule (1947).

13 bis. 2ᵉ édition avec le texte grec et la **Vie anonyme d'Olympias** (1968).

14. HIPPOLYTE DE ROME : **Commentaire sur Daniel.** G. Bardy, M. Lefèvre. Trad. seule (1947).
2ᵉ édition avec le texte grec. *En préparation.*

15 bis. ATHANASE D'ALEXANDRIE : **Lettres à Sérapion.** J. Lebon. *En prép.*

16 bis. ORIGÈNE : **Hom. sur l'Exode.** H. de Lubac, J. Fortier. *En prép.*

50 bis. JEAN CHRYSOSTOME : **Huit catéchèses baptismales inédites.** A. Wenger (réimpr. avec suppl., 1970).

51 bis. SYMÉON LE NOUVEAU THÉOLOGIEN : **Chapitres théologiques, gnostiques et pratiques.** J. Darrouzès et L. Neyrand (1980).

52 bis. AMBROISE DE MILAN : **Sur S. Luc,** t. II. G. Tissot (réimpr. avec suppl., 1976).

53 bis. HERMAS : **Le Pasteur.** R. Joly (réimpr. avec suppl., 1968).

54. JEAN CASSIEN : **Conférences,** t. II. E. Pichery (réimpression, 1966).

55. EUSÈBE DE CÉSARÉE : **Histoire ecclésiastique,** t. III. Livres VIII-X. G. Bardy (réimpression, 1967).

56. ATHANASE D'ALEXANDRIE : **Deux apologies.** J. Szymusiak (1958).

57. THÉODORET DE CYR : **Thérapeutique des maladies helléniques.** 2 volumes. P. Canivet (1958).

58 bis. DENYS L'ARÉOPAGITE : **La hiérarchie céleste.** G. Heil, R. Roques, M. de Gandillac (réimpr. avec suppl., 1970).

59. **Trois antiques rituels du baptême.** A. Salles. Trad. seule. *Épuisé.*

60. AELRED DE RIEVAULX : **Quand Jésus eut douze ans.** A. Hoste, J. Dubois (1958).

61 bis. GUILLAUME DE SAINT-THIERRY : **Traité de la contemplation de Dieu.** J. Hourlier (réimpression, 1977).

62. IRÉNÉE DE LYON : **Démonstration de la prédication apostolique.** L. Froidevaux. Nouvelle trad. sur l'arménien. Trad. seule (réimpr., 1971).

63. RICHARD DE SAINT-VICTOR : **La Trinité.** G. Salet (1959).

64. JEAN CASSIEN : **Conférences,** t. III. E. Pichery (réimpr., 1971).

65. GÉLASE Ier : **Lettre contre les Lupercales et dix-huit messes du sacramentaire léonien.** G. Pomarès (1960).

66. ADAM DE PERSEIGNE : **Lettres,** t. I. J. Bouvet (1960).

67. ORIGÈNE : **Entretien avec Héraclide.** J. Scherer (1960).

68. MARIUS VICTORINUS : **Traités théologiques sur la Trinité.** P. Henry, P. Hadot. Tome I. Introd., texte critique, traduction (1960).

·69. **Id.** — Tome II. Commentaire et tables (1960).

70. CLÉMENT D'ALEXANDRIE : **Le Pédagogue,** t. I. H.-I. Marrou, M. Harl (1960).

71. ORIGÈNE : **Homélies sur Josué.** A. Jaubert (1960).

72. AMÉDÉE DE LAUSANNE : **Huit homélies mariales.** G. Bavaud, J. Deshusses, A. Dumas (1960).

73 bis. EUSÈBE DE CÉSARÉE : **Histoire ecclésiastique,** t. IV. Introd. générale de G. Bardy et tables de P. Périchon (réimpr. avec suppl., 1971).

74 bis. LÉON LE GRAND : **Sermons** 38-64. R. Dolle (1976).

75. S. AUGUSTIN : **Commentaire de la Ire Épître de S. Jean.** P. Agaësse (réimpression, 1966).

76. AELRED DE RIEVAULX : **La vie de recluse.** Ch. Dumont (1961).

77. DEFENSOR DE LIGUGÉ : **Le livre d'étincelles,** t. I. H. Rochais (1961).

78. GRÉGOIRE DE NAREK : **Le livre de Prières.** I. Kéchichian. Trad. seule (1961).

79. JEAN CHRYSOSTOME : **Sur la Providence de Dieu.** A.-M. Malingrey (1961).

80. JEAN DAMASCÈNE : **Homélies sur la Nativité et la Dormition.** P. Voulet (1961).

206. Eusèbe de Césarée : **Préparation évangélique,** livre I. J. Sirinelli, É. des Places (1974).

207. Isaac de l'Étoile : **Sermons.** A. Hoste, G. Salet, G. Raciti. Tome II. Sermons 18-39 (1974).

208. Grégoire de Nazianze : **Lettres théologiques.** P. Gallay (1974).

209. Paulin de Pella : **Poème d'actions de grâces** et **Prière.** C. Moussy (1974).

210. Irénée de Lyon : **Contre les hérésies,** livre III. A. Rousseau, L. Doutreleau. Tome I. Introduction, notes justificatives et tables (1974).

211. **Id.** — Tome II. Texte et traduction (1974).

212. Grégoire le Grand : **Morales sur Job.** Livres XI-XIV. A. Bocognano (1974).

213. Lactance : **L'ouvrage du Dieu créateur.** Tome I. Introd., texte critique et trad. M. Perrin (1974).

214. **Id.** — Tome II. Commentaire et index. M. Perrin (1974).

215. Eusèbe de Césarée : **Préparation évangélique,** livre VII. G. Schrœder, É. des Places (1975).

216. Tertullien : **La chair du Christ.** Tome I. Introduction, texte critique et traduction. J.- P. Mahé (1975).

217. **Id.** — Tome II. Commentaire et Index. J.-P. Mahé (1975).

218. Hydace : **Chronique.** Tome I. Introduction, texte critique et traduction. A. Tranoy (1975).

219. **Id.** — Tome II. Commentaire et index. A. Tranoy (1975).

220. Salvien de Marseille : **Œuvres,** t. II. G. Lagarrigue (1975).

221. Grégoire le Grand : **Morales sur Job.** Livres XV-XVI. A. Bocognano (1975).

222. Origène : **Commentaire sur S. Jean.** Tome III. Livre XIII. C. Blanc (1975).

223. Guillaume de Saint-Thierry : **Lettre aux Frères du Mont-Dieu (Lettre d'or).** J.-M. Déchanet (1975).

224. **Actes de la Conférence de Carthage en 411.** Tome III. Texte et traduction des Actes de la 2e et de la 3e séance. S. Lancel (1975).

225. Dhuoda : **Manuel pour mon fils.** P. Riché, B. de Vregille et C. Mondésert (1975).

226. Origène : **Philocalie 21-27 (Sur le libre arbitre).** É. Junod (1976).

227. Origène : **Contre Celse.** M. Borret. Tome V. Introduction et index (1976).

228. Eusèbe de Césarée : **Préparation évangélique.** Livres II-III. É. des Places (1976).

229. Pseudo-Philon : **Les Antiquités Bibliques.** D. J. Harrington, C. Perrot, P. Bogaert, J. Cazeaux. Tome I. Introduction critique, texte et traduction (1976).

230. **Id.** — Tome II. Introduction littéraire, commentaire et index (1976).

231. Cyrille d'Alexandrie : **Dialogues sur la Trinité.** Tome I. Dial. I et II. G.-M. de Durand (1976).

232. Origène : **Homélies sur Jérémie.** P. Nautin et P. Husson. Tome I. Introduction et homélies I-XI (1976).

233. Didyme l'Aveugle : **Sur la Genèse.** Tome I (Sur Genèse I-IV). P. Nautin et L. Doutreleau (1976).

234. THÉODORET DE CYR : **Histoire des moines de Syrie.** Tome I. Introduction et **Histoire philothée** I-XIII. P. Canivet et A. Leroy-Molinghen (1977).

235. HILAIRE D'ARLES : **Vie de S. Honorat.** M.-D. Valentin (1977).

236. **Rituel cathare.** C. Thouzellier (1977).

237. CYRILLE D'ALEXANDRIE : **Dialogues sur la Trinité.** Tome II. Dial. III-IV. G.-M. de Durand (1977).

238. ORIGÈNE : **Homélies sur Jérémie.** Tome II. Homélies XII-XX et homélies latines, index. P. Nautin et P. Husson (1977).

239. AMBROISE DE MILAN : **Apologie de David.** P. Hadot et M. Cordier (1977).

240. PIERRE DE CELLE : **L'école du cloître.** G. de Martel (1977).

241. **Conciles gaulois du IVᵉ siècle.** J. Gaudemet (1977).

242. S. JÉRÔME : **Commentaire sur S. Matthieu.** Tome I. Livres I et II. É. Bonnard (1978).

243. CÉSAIRE D'ARLES : **Sermons au peuple.** Tome II. Sermons 21-55. M.-J. Delage (1978).

244. DIDYME L'AVEUGLE : **Sur la Genèse.** Tome II (Sur Genèse V-XVII). Index. P. Nautin et L. Doutreleau (1978).

245. **Targum du Pentateuque.** Tome I : **Genèse.** R. Le Déaut et J. Robert. Trad. seule (1978).

246. CYRILLE D'ALEXANDRIE : **Dialogues sur la Trinité.** Tome III. Livres VI-VII, index. G.-M. de Durand (1978).

247. GRÉGOIRE DE NAZIANZE : **Discours** 1-3. J. Bernardi (1978).

248. **La doctrine des douze apôtres.** W. Rordorf et A. Tuilier (1978).

249. S. PATRICK : **Confession et Lettre à Coroticus.** R.P.C. Hanson et C. Blanc (1978).

250. GRÉGOIRE DE NAZIANZE : **Discours** 27-31 (Discours théologiques). P. Gallay (1978).

251. GRÉGOIRE LE GRAND : **Dialogues.** Tome I. Introduction, bibliographie et cartes. A. de Vogüé (1978).

252. ORIGÈNE : **Traité des principes.** Livres I et II. H. Crouzel et M. Simonetti. Tome I : Introduction, texte critique et traduction (1978).

253. **Id.** — Tome II : Commentaire et fragments. H. Crouzel et M. Simonetti (1978).

254. HILAIRE DE POITIERS : **Sur Matthieu,** t. I : Introduction et chap. 1-13. J. Doignon (1978).

255. GERTRUDE D'HELFTA : **Œuvres spirituelles.** Tome IV. **Le Héraut.** Livre IV. J.-M. Clément, B. de Vregille et les Moniales de Wisques (1978).

256. **Targum du Pentateuque.** Tome II : **Exode et Lévitique.** R. Le Déaut et J. Robert. Trad. seule (1979).

257. THÉODORET DE CYR : **Histoire des moines de Syrie.** Tome II, **Histoire Philothée** (XIV-XXX), **Traité sur la Charité** (XXXI) et Index. P. Canivet et A. Leroy-Molinghen (1979).

258. HILAIRE DE POITIERS : **Sur Matthieu.** Tome II. Chap. 14-33, appendice et index. J.Doignon (1979).

259. S. JÉRÔME : **Commentaire sur S. Matthieu.** Tome II. Livres III et IV, Index. É. Bonnard (1979).

260. GRÉGOIRE LE GRAND : **Dialogues.** Tome II. Livres I-III. A. de Vogüé et P. Antin (1979).

261. **Targum du Pentateuque.** Tome III : **Nombres.** R. Le Déaut et J. Robert. Trad. seule (1979).

Hors série :

Directives pour la préparation des manuscrits (de « Sources Chrétiennes »). A demander au Secrétariat de « Sources Chrétiennes », 29, rue du Plat, 69002 Lyon.

La Règle de S. Benoît. VII. Commentaire doctrinal et spirituel. A. de Vogüé (1977).

SOUS PRESSE

PROCHAINES PUBLICATIONS

SOURCES CHRÉTIENNES

(1-300)